Appelez-moi Li Lou

CYNTHIA SARDOU

# Appelez-moi Li Lou

© Éditions du Rocher, 2005

ISBN 2 268 05294 X

« Chacun de nous renferme un secret. On pourrait en dire autant de chaque ouvrage de l'esprit, de chaque poème. De même qu'un sonnet ne se résume pas à son contenu, qu'il contient un sortilège qu'on appelait jadis le je ne sais quoi, de même nous portons en nous quelque chose qui nous caractérise, si insignifiante aux yeux des autres que soit cette marque particulière.

Une fatalité intérieure pousse chaque homme à réaliser son destin. Aussi longtemps que nous restons en vie, aucune certitude ne nous éclaire : qui sommes-nous ?

Des innocents ou des coupables ?

Ou les deux à la fois ?

Serons-nous damnés ou sauvés ?

C'est à l'heure de notre mort ou bien au jugement dernier que nous apprendrons la vérité sur nous-mêmes, gibier de potence, suppôt de Satan ou bien créature faillible, mais de bonne volonté. »

*D'ivoire ou de corne, les portes du rêve*,
Marcel Schneider.

À mon grand-oncle Marcel…

# Prologue

*1993*

Lyon plonge dans novembre. J'ai vingt ans et je ne laisserai personne dire que c'est le plus bel âge de la vie.

Je suis sortie de cours, le brouillard montait du fleuve, j'ai longtemps marché au hasard. La tête vide – ou, plutôt, trop pleine. De quelque côté que je me tourne, je ne vois pas d'issue. Ni aux problèmes d'argent, ni au poids des souvenirs – ces vengeances dont je suis le relais innocent. La haine encore de mon beau-père, après toutes ces années de coups et de punitions, de coups et de violence. Ces reproches muets de ma mère, qui voit en moi la cause du départ de mon père. L'immense défaut d'être une fille. Famille, je vous hais...

Je ne pense à rien. Je pense à tort et à travers. Parler à quelqu'un ? Cela ne sert à rien. Parler à qui ? Quelqu'un qui tenterait de m'interrompre –, ou peut-être pas finalement. Personne n'a interrompu quoi que ce soit avant. Alors, pourquoi le ferait-on maintenant ?

Dans la brume qui monte inexorablement, dans cette rue grise, seule brille la lumière verte du caducée d'un pharmacien.

Je ne le regarde pas. Je pose sur le comptoir ma vieille ordonnance, je bredouille rapidement le mot Lexomil, je lui explique que j'ai de sérieux troubles du sommeil, que je n'arrive pas à me concentrer en cours – et c'est vrai, d'ailleurs –, pourrait-il me donner une boîte de plus ? Le pharmacien n'a pas besoin de tant d'explications. Il semble aussi fatigué que moi. Il prend dans un tiroir coulissant la petite boîte verte, et la pose sur le comptoir. Je règle sans le regarder, il encaisse sans rien me dire. Il n'a même pas remarqué combien mes mains tremblaient.

Et je rentre chez moi, dans cette petite chambre d'étudiante qui aurait dû être un nid à bonheur – et qui ne l'est pas. Pas de courrier dans la boîte aux lettres. Personne à qui répondre, personne à qui penser. C'est aussi bien. Penser me tue.

Je monte les escaliers en regardant sans cesse vers le haut, tout en pensant que c'est la dernière fois, que je ne les redescendrai plus. Je rentre dans ma chambre, je mets la chaîne de sûreté, je retire mon manteau, je l'accroche dans le placard – comme d'habitude. Je m'assois, je récupère dans ma besace les cours du jour, presque décidée à les mettre au propre. Pour laisser une trace. La dernière trace de l'enfance et de l'adolescence que je n'ai pas eues. Cette trace écrite me dis-je, sera la preuve de – la preuve de quoi ? Je ne sais pas. La preuve de rien. La preuve que j'en ai marre de toutes ces sornettes, et que je ne veux plus souffrir.

Je relève la tête, et mon regard se fixe sur l'affiche et les photos, en noir et blanc, de la *Dolce Vita* de

Federico Fellini. Anita Ekberg et Marcello Mastroianni se poursuivent, de photo en photo, sur ce panneau qui occupe les trois quarts de mon mur. Une bonne dizaine de photos, récupérées dans un cinéma qui retirait le film de son programme. La plus belle est celle du baiser entre les deux amants. Une déclaration vivante. La passion.

Sur l'autre mur, Dexter Gordon brandit son saxophone. Il est vêtu d'un costume sombre et d'un feutre. Il tient l'instrument à la main, d'un air négligé. Il a entre ses lèvres une cigarette. Il fait une pause entre deux solos.

Mon regard revient sur mon lit, sur ces rideaux en face de moi, confectionnés par ma mère. Des rideaux bleus, à fleurs. Fleurs fanées. La couleur est passée. Sale d'usure, sale de rien. Tout ça, c'est vieux. C'est moche. C'est abîmé. Ça ne veut rien dire. C'est nul. Du vide, du néant.

Je me lève, je me remplis un verre d'eau, directement au robinet, et très vite, pour ne pas avoir à y penser, j'avale la boîte entière de comprimés. Le fabricant a prévu qu'on n'en prenne qu'un quart, ou une moitié, éventuellement, mais je suis bien au-delà de ça. J'avale tout – et un autre verre d'eau pour faire passer plus vite.

Puis j'ouvre la fenêtre en grand. Je regarde au loin, pour y voir un avenir, une espérance au moins, comme je le faisais autrefois dans mes rêves de petite fille. Mais il n'y a plus de merveilles au pays d'Alice. Juste ce brouillard qui est monté jusqu'au niveau des toits. La ville est dans le coton. Irréelle. À ma droite,

sur la gouttière, il y a un bruit soudain, un battement
d'ailes. Des pigeons s'envolent, et partent ailleurs
– loin de chez moi.

Dans le couloir, à l'extérieur de la chambre, j'entends le pas lourd et incertain de mon voisin de
palier. Je tends l'oreille. Impossible de se méprendre.
Il se cogne contre la rampe de l'escalier, il trébuche,
il tombe. Il lance un mot ordurier. Il se relève, et
voilà qu'il sonne à ma porte.

À travers l'œilleton, je le regarde baigner dans son
jus. Il est bourré, comme d'habitude. Je ne réponds
pas. Voilà déjà dix minutes que j'ai avalé mon poison
– ma délivrance. Mais il insiste encore, à coups de
poings cette fois. J'attends. J'ai la tête dans le gaz, et
pourtant je sens mon pouls s'accélérer. Le sang qui
bat à mes tempes. La vie qui proteste, peut-être bien.

Sait-il que je suis là ? Il frappe de nouveau, de
plus en plus fort. Il murmure quelque chose d'incompréhensible. J'entrebâille la porte, tout doucement,
sans enlever la chaînette. Je le regarde. J'attends qu'il
parle. J'attends peut-être cinq minutes, cinq minutes
de plus. La tête me tourne. J'ai du mal à me concentrer
sur ce qu'il me dit. Un quart d'heure. Quinze minutes
que mon sang diffuse les somnifères dans tout mon
organisme. Le type insiste, s'appuie au chambranle.
Il bafouille. Il est incohérent. Je voudrais qu'il me
laisse. Je suis de plus en plus molle.

J'ouvre la bouche pour lui parler, et je ne suis
même plus capable d'articuler un mot. Il continue à
bafouiller – mais de quoi peut-il bien parler ? Il
empeste l'alcool, et l'odeur de son haleine me soulève

le cœur. La dérision de cet instant volé à la mort m'apparaît soudain, et j'ai envie de rire. De rire... Je suis en face d'un alcoolique aussi perdu que moi. Lui, il boit, et moi je me suicide. Il sera donc la dernière face humaine que j'aurai vue...

Vingt minutes. Il reste là à m'inonder de propos incohérents. Peut-être ai-je trouvé révoltant de prendre congé de l'humanité sur la vision d'un pochard titubant. Je crois que je commence à regretter mon geste. Pour la première fois, j'ai peur – une peur animale, viscérale. Je lui fais un faible signe de la main... Non, je ne peux pas lui rendre service maintenant. Je voudrais le dire, mais aucun son ne sort de ma bouche.

Alors, j'ouvre la porte à la volée, je titube, je me raccroche à lui, épave contre épave, je redescends l'escalier, avec le peu d'énergie qui me reste, je glisse, je tombe, je me raccroche à la rampe, des deux mains, sans croiser d'autres de mes voisins. À un moment, je lève la tête, et tout ce que je vois, là-haut, c'est le visage de mon ivrogne, qui me suit du regard en continuant à déblatérer dans la langue incompréhensible de l'ivresse. Je suis en bas à présent. À gauche, le petit bouton d'ouverture de la porte d'entrée de l'immeuble. J'aperçois très faiblement le petit lumignon de la veilleuse, qui marque l'emplacement du bouton, dans le noir. J'appuie, je pousse le battant, je suis enfin dehors, dans la nuit froide et humide. Je dois faire deux ou trois pas avant de m'effondrer sans connaissance sur le trottoir.

Sensation de glisser. Tentation de glisser.

Qui veut m'empêcher de m'assoupir ? On me gifle, à plusieurs reprises, on me secoue comme une poupée de chiffon, on agite mon cadavre. Puis on essaie de me faire vomir. Rien ne sort de moi. Suis-je déjà morte ? Suis-je déjà partie ? Je ne reviens pas. Je me laisse couler. C'est bien, c'est confortable, c'est doux. Des gifles à nouveau. Quelqu'un hurle à mon oreille – et tout cela m'arrive d'une distance infinie. Je me laisse faire, sans me débattre. Le corps absent. Je ne chicane plus. Je ne résiste plus. Je ne suis plus rien. Ils avaient tous raison. Je ne suis rien, je suis nulle et annulée. Quelqu'un continue de me secouer, la tête, les jambes, les bras, les mains. Est-ce le même qui m'enfonce deux doigts dans la bouche ? J'ai un hoquet. Je me sens dépossédée de moi-même. Laissez-moi, laissez-moi… Je suis partagée entre un désir d'inconscience, et la conscience d'être, et d'avoir voulu mourir.

J'aperçois ensuite quelques secondes l'homme qui me secoue depuis un moment. C'est un pompier. Je l'entends dire à quelqu'un, hors champ, que ça ne va pas, que mon visage est jaunâtre, mes lèvres violettes et sèches. Il paraît s'affoler parce que je ferme les yeux à nouveau. Il interpelle son coéquipier, dans l'ambulance, et me pose un masque à oxygène sur le visage jusqu'à l'hôpital.

On me transporte, on me manipule, et je ne ressens rien, rien que le désir de me laisser glisser. Et, en même temps, une lueur ténue, mais continue, dans ma conscience – le désir de vivre. Où suis-je ? On me déshabille, on m'assoit, on me force à vomir, encore et encore. Et je me vomis. Je me dégueule. Je dégorge mes tripes, des heures et des heures. Ou ce qui me paraît des heures. Ils me manipulent, ils me secouent, des heures durant, jusqu'à ce qu'enfin ils jugent que je peux m'endormir sans risque. Une transfusion dans le bras. Lavage d'estomac. C'est à peine si j'ai senti l'aiguille qui s'enfonçait…

À mon réveil, ils m'aident à m'asseoir, à faire quelques pas. Dans le miroir, je ne suis qu'un fantôme jaunâtre, les paupières soulignées de pourpre. Le bras rivé à la potence où pend la transfusion. Un énorme bleu à la saignée du coude. Pas bien belle, ma fille.

Puis, peu à peu, la vie revient, et le monde avec elle. Une voisine et un ami de classe viennent me rendre visite. La voisine habite juste en dessous de chez moi, il paraît qu'elle est sortie sur le palier à cause des beuglements de l'ivrogne. Combien sont-ils à m'avoir sauvé la vie ? Quant au copain de classe, il s'est étonné de ne pas me voir en cours. Et il est venu aux nouvelles. Puis à l'hôpital.

L'un et l'autre me font reprendre pied. Et reprendre mes études, comme si de rien n'était. Je ne raconte rien, à personne. Li Lou d'entre les morts est revenue. Peut-être le fait d'avoir jeté un coup d'œil de l'autre côté m'a-t-il donné une impulsion nouvelle…

Mon meilleur ami, Hervé, me rend visite à Lyon quelques jours. Il est arrivé spécialement pour me remonter le moral. Il vient me chercher tous les jours à l'étude de la presqu'île.

Physiquement, Hervé est très fin, très grand. Il plaisante tout le temps…

Il plaisantait, devrais-je dire. Il aimait la vie, il se moquait de tout. Il était le seul ami de longue date, le seul que j'avais gardé de ma période Côte d'Azur. Nous nous étions rencontrés à l'hôtel Carlton pour le réveillon et y travailler ensemble. Nous nous échangions nos extra, soit pour nous rendre service, soit pour les faire ensemble. Nous nous moquions de certains clients qui nous faisaient remporter une viande trois fois de suite, d'abord parce qu'elle n'était pas assez cuite – puis trop cuite au bout de la troisième virée. Dans les rares moments de loisir, nous écumions les boîtes de nuit de la côte proche de Cannes, et nous achevions nos virées en petit-déjeunant au bord de la plage entre l'aube et l'aurore.

Dans son humour déconcertant, il arrivait à tout me faire croire. Il m'avait acheté un animal de compagnie dans ma chambre de bonne. « Il ne te faut pas un chien. Toi, ce sera un petit lapin. » Voulait-il dire que j'étais un petit lapin affolé ? Le lapin détériorait tout ce qu'il trouvait à ronger – aussi bien les fils électriques des lampes que les ourlets de mes vêtements. Hervé avait réussi à m'habituer à ce petit lapin, dont les frasques nous arrachaient des fous rires interminables.

Comment aurais-je su, à l'époque, que cet ami si cher à mon cœur allait disparaître à l'âge de vingt-cinq ans d'un cancer généralisé, peut-être causé par la traînée meurtrière de Tchernobyl ?

La dernière chose qu'il m'ait dite, la dernière fois que je l'ai vu – et il n'était plus qu'un visage émacié, rongé, qui s'efforçait encore de sourire : « Ne te sens jamais coupable de vivre, Li Lou. Jamais. Sois-en fière, et rugis haut et fort, au monde tout entier, pour qu'ils le comprennent ! Réveille-les tous, autant de fois que nécessaire, autant que tu le pourras… »

Et qu'en est-il de la non-assistance à personne en danger, entre autres, dans ce témoignage ? Je ne plaide donc pas coupable. Et ce qui suit n'est pas une façon de m'excuser. Je ne suis pas désolée d'être encore de ce monde. Et tant pis si ce que j'ai à dire ne plaît pas forcément ni aux uns, ni aux autres.

Première partie

# Cynthia, dite Li Lou

Née le 4 décembre 1973, au moment où mon père devenait une idole pour des millions de Français, j'aurais dû me contenter d'être une riche petite fille adulée. Sans doute ne serais-je pas attablée ici, à raconter les horreurs de ma vie. Sans doute ne serais-je, à cette heure, qu'une héritière parmi tant d'autres, et je ne suis pas d'un tempérament à gâcher le papier et mon temps à écrire si je n'ai rien à dire. Peut-être un éditeur en quête d'audience m'aurait-il extorqué quelques confidences crapoteuses, ou supposées telles – et sans doute les aurait-il fait rédiger par un autre.

Mais j'ai eu beau naître dans le XVIe arrondissement, cette première seconde de ma vie fut un péché mortel – ma faute, ma très grande faute : je suis née fille.

La Faute originelle, chez les chrétiens, précède, paraît-il, la naissance. Pour moi, engendrée à une époque où l'échographie n'existait pas, et où seules les recettes de grand-mère prédisaient le sexe de l'enfant à venir (et ma mère, à ce que l'on me raconta, me porta très en avant, signe infaillible que j'étais un garçon...), la faute m'accabla à l'instant même de ma naissance.

Mon père voulait un garçon. Ma mère voulait un garçon, *pour mon père*. Ils avaient déjà eu une fille – un semi-échec qu'ils mirent sur le compte du hasard, si bien qu'ils ne le lui reprochèrent jamais. Mais pour moi, je *devais* être un petit mâle. Un petit Sardou. L'enfant tant attendu qui perpétuerait la lignée.

L'enfant mâle qui réunirait un couple qui déjà donnait de la bande.

Mais je n'étais pas le petit garçon tant souhaité. Aux yeux de mon père, j'étais une erreur. Aux yeux de ma mère, qui vit après ma naissance son mari lui échapper définitivement, j'étais une faute.

Et je l'étais d'autant plus qu'un mois tout juste après ma naissance est né mon premier frère, dans un autre hôpital parisien. Né des œuvres de mon père et de Babette, sa maîtresse du moment.

Ce père qui jonglait à l'époque entre deux cliniques, celle de Babette avant la naissance de Romain, et la mienne, fit le bonheur des paparazzi. Les journaux plaisantèrent sur ce papa prolifique qui courait de l'une à l'autre, de sa femme et sa fille à sa maîtresse et son fils. Il n'avait d'ailleurs pas assisté à ma venue. Il est arrivé quelques heures plus tard, il m'a prise dans ses bras – pour me déposer dans ceux d'Anne Cappa, ma marraine. Puis il est reparti avec l'un de mes parrains pour aller faire la fête.

Je fus un bébé braillard. Je ne pleurais pas, je hurlais. Je ne saurais dire quelle douleur s'exprimait ainsi, parce que la souffrance, la vraie, n'est venue qu'après – en fait, l'année suivante, quand mes parents se sont séparés.

« Le vert paradis des amours enfantines », chante le poète. Mon enfance fut incompréhension, frustration, mensonge et violence.

Et solitude. Une immense, une infinie solitude. Et les pressions constantes, tant verbales que psychologiques ou physiques, me laissèrent à peine l'occasion de rêver – parfois.

Mon ascendance était-elle vraiment celle dont rêvent les petites filles ? Je suis née, d'un côté, dans une famille d'artistes. Une dynastie de saltimbanques depuis cinq générations du côté de mon père, composée de fantaisistes, de comédiens, d'acteurs et de chanteurs.

Les dictionnaires le disent : Michel Sardou, né en 1947, chanteur ; fils de Fernand Sardou, né en 1910, acteur ; fils de Valentin Sardou, né en 1868, chanteur comique ; fils de Baptistin-Hippolyte Sardou, natif de Toulon, mime et acteur…

Mais je reviendrai plus loin sur cette filiation – et sur son dernier avatar, mon père…

Du côté de ma mère, Françoise Pettré, des notaires, des ingénieurs, des scientifiques, des intellectuels – entre autres mon grand-oncle écrivain, Marcel Schneider.

Ma mère était petit rat de l'Opéra de Paris, mais on l'a vite jugée trop grande par rapport au standard de l'époque, que symbolisait Claude Bessy. Sur ses pointes, elle dépassait d'une tête la plupart de ses partenaires. Effet fâcheux, quand le Cygne domine le Prince… Elle a alors muté au Châtelet, où étaient montées des opérettes qui autorisaient bien plus de fantaisie que les machines de Tchaïkovski chorégraphiées par Marius Petipa.

Cette jeune femme blonde, d'une beauté glaciale, belle en son corps d'athlète, la grâce incarnée, fascinait son voisinage. Une femme-enfant aussi, qui n'a peut-être pas vraiment mûri au sein de l'Opéra de Paris. Qu'est-ce qu'un petit rat, ou même un sujet, sinon une vie de contraintes et de privations, dévouée tout entière à la danse ? On lui menait la vie dure. Seul objectif dans la vie : accomplir l'entrechat sublime qui bluffera le chorégraphe. Trouver, tout au fond de la souffrance, la justification de la légèreté – de la facilité apparente. La tête est droite, légèrement inclinée, le bras arrondi et la main d'ange souligne sa trajectoire. Être une ballerine cinq ou six heures par jour, pour un soir unique sur scène. Changer de costume à toute vitesse pour les treize tableaux suivants. Et danser, danser, danser. Les pieds parfois en sang. Le cœur l'est aussi, quand on ne le fait pas que pour soi. Danser pour assumer son mari et son premier enfant, en donnant le meilleur au prochain spectateur admiratif…

Fernand Sardou, mon grand-père, fut le premier à admirer la vénusté de ma mère. Ils jouaient ensemble *L'Auberge du cheval blanc* au théâtre du Châtelet – c'était en 1965. Michel, venu rendre visite à son père en coulisses, rencontra ma mère grâce à lui. Ce fut, je crois, un coup de foudre – un feu de paille qui dura tout de même presque dix ans.

Les deux amoureux étaient très jeunes, totalement désargentés, et se marièrent dans l'église Saint-Pierre-de-Montmartre – bâtie en 1147, l'une des plus anciennes églises de Paris. Mon père avait à l'époque dix-huit ans, ma mère vingt-deux.

Feu de paille, disais-je… Françoise était à l'époque très amoureuse de Michel, elle l'a toujours été, bien au-delà de leur séparation – je crois qu'elle l'est encore.

Au milieu des sixties, mon père démarrait dans son métier, et, comme bien des débutants, il accumulait les galères. Ma mère a longtemps fait bouillir seule la marmite, avec ses seuls cachets de danseuse professionnelle.

Mon père ramait à contre-courant. Viscéralement de droite, il eut l'initiative de créer *Les Ricains* en 1968 – au moment où les B 52 couvraient le Nord-Vietnam d'un tapis de bombes… Il fit tant et si bien que la plupart des radios, ingénieusement conseillées par un gouvernement qui voulait donner des gages aux gauchistes qui occupaient la rue, censurèrent ce premier tube, mort-né, que l'on ne redécouvrira que plus tard. Deux ans plus tard, *Les Bals populaires*, et, Face B, *Et mourir de plaisir*, lui vaudront de faire la première partie… d'Alain Barrière.

Ma sœur, Sandrine, est née cette même année 1970. Moi, le fils tant espéré, ils m'ont mise en route courant 73, l'année même où Michel Sardou explosait dans les *charts* avec *La Maladie d'amour* – au moment même où, frappé sans doute par les flèches du dieu qui l'avait propulsé en tête des hits parades, il consacrait beaucoup plus de temps à ses liaisons extra-maritales qu'à sa jeune femme enceinte. Mais j'ai déjà raconté cette histoire…

Ma mère espéra le retour de mon père, obstinément, malgré son divorce. Je n'avais qu'un an et demi. Puis elle a paru se résigner, et elle a refait sa vie de son côté, comme il avait fait lui-même – à ceci près qu'elle restait persuadée qu'il reviendrait sur ses premières amours.

Dans cette attente, je fus mise entre parenthèses. Et parfois habillée en garçon – pour faire « comme si ». Comme si j'étais un piège à Sardou.

J'ai grandi à travers mes parents, mais pas vraiment avec eux. Ni avec l'un, ni avec l'autre. Je vivais dans leur environnement de manière très solitaire. Il m'arrivait de rester en leur présence, en gardant le silence, durant des heures, voire des journées entières. Mon mutisme m'offrait tout le temps de les contempler, comme une voyageuse clandestine contrainte au silence dans une nef en tempête.

Un an et demi ! Je ne me suis rendu compte de rien, j'imagine. Mais avec le temps – dès que j'ai su comprendre ce que me serinait ma mère, « C'est ta faute, c'est ta très grande faute » –, j'ai grandi avec le sentiment d'être coupable, seule coupable de leur rupture. Mon père disait souvent qu'il voulait un ou des héritiers garçons. Ma mère devait implorer le ciel pendant sa grossesse, que je sois un petit mâle, et pas une autre Sardounette de malheur, pour garder son mari auprès d'elle…

Dès mon plus jeune âge, j'ai appris à garder secrète chacune de mes pensées. Je me contentais de répondre aux questions que l'on me posait, avec le regard dans le vide. J'étais ailleurs, renfermée dans ma coquille.

Blottie autour de moi. J'avais un comportement très distant avec presque tout le monde, sans laisser paraître quoi que ce soit, sinon très rarement.

Certains membres de mon entourage respectaient cette réserve, me comprenaient – et alors j'acceptais de bon cœur d'aller à eux. À l'inverse, dès que le ton d'une voix s'élevait sans raison, je me murais dans mon silence. J'ai donc appris à respirer ainsi, dans cette distance sournoise, pour résister à la haine des uns et au mépris des autres. J'évitais de me plaindre. J'évitais même de pleurer.

J'ai poussé au sein d'une famille d'êtres singuliers, une famille éclatée, et mal recomposée, d'êtres indépendants et tristes à la fois, perdus de temps à autre, égarés dans leur être. Les artistes vivent dans l'horreur d'être un jour oubliés. Du coup, ce sont eux, souvent, qui oublient les autres.

Depuis plus de trente ans, Michel Sardou est une méga-vedette. Chacun de ses concerts est un événement. Mais au-delà de l'image médiatique, il y a la réalité complexe d'un homme.

Faisons d'abord la part de l'homme public. Michel Sardou est, et a toujours été un artiste à part. De taille moyenne, assez mince, son ennemi le plus fidèle reste… le poids. Bon vivant, grand gourmet, il adore manger. Si bien qu'en prenant de l'âge, il a toujours oscillé entre deux régimes. Ses fans n'y ont jamais prêté véritablement attention.

Parce que Sardou, c'est surtout, et d'abord, une voix, une voix immédiatement reconnaissable, un timbre que les Français ont appris à aimer – ou à détester – dès la première seconde.

Cet homme toujours si bien accompagné en société se sent le plus souvent seul au milieu de sa foule. Il est, si je puis dire, un solitaire-né. Un observateur-né, aussi : aucun détail ne lui échappe, rien ne doit lui échapper. Sur le plan professionnel, lorsqu'il met un spectacle au point, qu'il le met en scène, il sait exactement ce qu'il veut, quand il le veut, où il le veut. D'où son horreur des amateurs : il est professionnel jusqu'au bout des ongles.

Quant aux tours de chant… Il arrive que les matinées lui insupportent. Il a peur des avant-premières, moins des premières, mais ne cultive pas la nostalgie des dernières. Au moment des derniers applaudissements, il est déjà dans son prochain récital.

Et puis parfois, un rien grippe la belle mécanique. Il suffit d'un détail pour que l'homme bascule – que la pochette d'un costume de scène soit de travers, qu'un cendrier soit posé là où lui ne l'a pas décidé, qu'on lance un mot mal dit, une phrase mal tournée, lors d'une conversation –, et alors Michel Sardou vous jette un regard terrifiant. Et vous savez que vous ne serez pas pardonné(e).

Cette versatilité le rend difficile à cerner, encore davantage à gérer.

Il se veut avant tout un chanteur français et populaire : son nationalisme, son côté franchouillard, disent ses détracteurs, il l'assume et le revendique.

En 1967, à l'heure où Jimi Hendrix déconstruisait l'hymne américain pour protester contre la guerre du Vietnam, Michel Sardou, à contre-courant, écrit donc *Les Ricains* – alors même qu'il est encore presque inconnu, et qu'un tel titre, dans le contexte de l'époque (les inscriptions *US go home* fleurissent sur tous les murs de l'Hexagone, et de Gaulle, qui veut rééquilibrer la politique française vers l'Est, vient de faire sortir la France de l'Alliance atlantique) risque de le couler dans une opinion globalement hostile à l'Oncle Sam.

Alors que nous faisons sécession de l'OTAN, rien de plus maladroit : les radios censurent spontanément le titre. Et ce n'est pas rien, quand la télévision ne compte qu'une chaîne, fort peu musicale d'ailleurs, et que les clips n'existent pas. En 1968, l'un des films de John Wayne, *Les Bérets verts*, sera finalement déprogrammé : des groupes de jeunes organisaient des manifestations hostiles devant chaque cinéma qui le diffusait. Un pamphlet gauchiste, finement intitulé *Faut-il brûler Sardou ?*, analyse les textes des chansons de mon père, et conclut qu'il représente tout ce que l'extrême-gauche abhorre : le nationalisme hexagonal, et la défense des valeurs traditionnelles.

Michel Sardou persiste et signe. Il s'inspire de l'actualité, faits politiques ou faits de société. En 1972, à travers *Le Rire du sergent*, il évoque l'homosexualité. En 1975, dans *Les Villes de grande solitude*, il se coule dans la peau d'un malfrat pour évoquer le malaise des banlieues, déjà bien perceptible.

L'année suivante, Michel Sardou enfonce le clou. En plein débat national, alors que des avocats célèbres pourfendent la peine de mort à chaque affaire capitale, il reprend systématiquement sur scène un titre écrit des années auparavant, *Je suis pour*. Il faut se rappeler qu'en cette même période, un fait divers sanglant bouleverse la France entière : un homme, inculpé pour l'enlèvement et le meurtre d'un enfant, échappe à l'échafaud grâce à son avocat, Robert Badinter. Celui même qui deviendra garde des Sceaux au sein du gouvernement français, en 1981, et fera proscrire la peine de mort par l'Assemblée nationale nouvellement élue.

Je dois à la vérité de préciser que cette abolition avait été passionnément demandée avec la participation de Philippe Lemaire, avocat à la cour d'appel de Paris, et, aujourd'hui, bâtonnier de France – mon avocat, plus tard, lorsque je fus dans la peine.

Dans une telle ambiance, il faut oser écrire, chanter, et se faire applaudir l'apologie de la vengeance que constitue cette chanson à polémique.

Si le public, de concert en concert, le plébiscite, les médias l'insultent. « Michel Sardou est un homme dangereux. » Michel Sardou, qui se dit personnellement contre la peine de mort, véhicule pourtant une image contradictoire. Ses textes engendrent des « comités Sardou ». Les concerts sont perturbés par ses adversaires, qui le traitent de fasciste, de violeur et d'assassin, avec un sens de la mesure qui leur fait honneur... Ses affiches sont recouvertes du sigle nazi.

Sardou se plaint que les chansons qu'il interprète soient souvent mal analysées par le public : « Avec les auteurs, dit-il, nous avons voulu éviter toute ambiguïté dans les textes. Mais malgré tout le mal que nous nous sommes donné, le public l'aurait de toute façon mal interprété. »

Reste l'homme privé. J'ai dit combien il était solitaire. Il me faut ajouter qu'il est un timide, qui se cache derrière un masque provocateur. C'est un homme pudique, fantasque, délicat, adorable, patient, tolérant, charmeur – et grand séducteur. Toujours très gentleman avec les femmes, tendre, communicatif, ambitieux. Un être pétri de contradictions.

Tout est toujours très fort avec Michel Sardou. Quand ça va bien, ça va fort, et quand il est au plus mal, il plonge dans un spleen insondable. Un homme imprévisible, d'une forte tendance à l'impulsivité. Quand il est de mauvais poil, le premier venu du moment devra supporter le sale quart d'heure. Avec une puissance qui déconcerte ses employés et ses proches, il s'impose, dans son métier et dans tout ce qu'il entreprend. Il fait peur, il exige le respect – et y parvient.

Il est d'une grande générosité – particulièrement quand ça arrange l'artiste. Son altruisme n'est jamais gratuit, pas même avec les gens qui l'aiment et qu'il aime profondément. Au final, il est une légende, bâtie sur sa gueule, ses coups de gueule, et sa voix. Un artiste qui dure depuis près de quarante ans. Une « institution » de la chanson française.

Tel est l'homme qui, peu après la naissance de Romain, mon quasi-jumeau, le 6 janvier 1974 – j'étais bien petite, mais entre ma naissance début décembre, et celle de Romain, les fêtes de Noël et du Nouvel An n'ont pas dû être de tout repos pour ma mère –, quitte définitivement le domicile conjugal.

Michel se marie quelques années plus tard avec Babette, la mère de Romain. Et ma mère, bien qu'elle ait cultivé, des années durant, le fantasme du retour du mari volage, se trouve assez vite un compagnon – mon futur beau-père. Peut-être pour se rassurer, ou pour faire enrager mon père, qui ne s'en souciait guère – encore qu'il n'apprécie pas toujours que l'on ne meure pas d'amour et de solitude après lui...

Je n'avais guère réagi – et pour cause ! – à cette séparation, et à ces recompositions familiales. Mais ma sœur prit tout de plein fouet. Pour moi, ce fut dans les années suivantes que je saisissais tout le poids de cette situation.

Pour le moment, j'avais l'existence normale, et le développement normal d'une petite fille aimée. Ma tante Sylvie, la sœur de ma mère, prétend même que j'étais un peu en avance pour mon âge. Elle m'avait emmenée en vacances à Megève, un hiver. Je faisais avec elle de longues promenades dans la neige, quelle que fût la profondeur de la poudreuse. Et elle se rappelle que je refusais d'uriner dehors – je me retenais, attendant d'être rentrée pour courir aux toilettes. Chez une enfant de deux ans, ce n'est pas si fréquent, me disait-elle.

Tout allait donc pour le mieux – même si la mort de mon grand-père paternel, Fernand, en 1976, écailla la belle sérénité de mon entourage. Le soir même, son fils Michel chanta sur scène, comme à l'ordinaire.

Il fera de même le soir de la mort de Jackie, comme je le raconterai plus loin. Non par indifférence, mais par courage. À cause de ce qu'il pense devoir au public.

Ma mère s'était donc remariée (j'avais à peu près trois ans) avec un homme qui avait su la conquérir, afin d'obtenir ce qu'il voulait d'elle. L'argent et la vertu – tout ce qu'il n'avait pas. Cet homme, mi-ange, mi-démon, était peut-être tombé amoureux de l'éclat froid et du maintien avenant de ma danseuse de mère. Mais il était principalement mordu de son carnet d'adresses, et de la vie qu'elle pouvait mener grâce à son ex-mari, mon père. Pour mieux en profiter, il lui offrit en quelque sorte l'amour qu'elle n'avait jamais eu avec ce dernier. Michel Sardou est incapable d'aimer longtemps, d'aimer au-delà du narcissisme. Il sait aimer sur l'instant, sincèrement, profondément, mais ne sait pas, ne sait plus avoir encore de l'affection – sans parler de sentiment – pour les autres la minute suivante. Avant tout, il s'aime, lui, sa vie d'artiste et son métier.

Le mari de ma mère s'est donc fait passer pour un Père – un type bon et fiable. Grand, brun, bel homme physiquement, à première vue très équilibré. Il était lui-même divorcé, et père d'un petit garçon. Il venait d'une famille de militaires – et il en restait bien quelque chose : il avait de la discipline une idée et un goût qui convenaient bien mal à une petite fille rêveuse…

J'ai trois ans. Je suis fine, et même fluette, les cheveux bouclés, courts, avec des reflets dorés, et, quand je me revois sourire sur certains clichés, le regard plutôt vif.

Nous habitons à cette époque dans un appartement du XVIe arrondissement de Paris, rue Crevaux. Ce logis immense occupe entièrement l'un des étages de notre immeuble. J'ai ma chambre, et je suis déjà à l'écart de ce foyer par la situation de ma mansarde qui est au fond d'un long couloir, près de la cuisine. Mes « parents », eux, sont à l'autre bout de la maison. C'est bien pratique pour prétendre, au matin, que l'on n'a rien entendu des cris du nourrisson, ni des appels au secours de la petite fille qui cauchemarde.

Après tout, Gloria, ma nouvelle nounou, s'occupe de moi…

Elle est tous les après-midi rue Crevaux, et s'attache à moi comme à sa fille. Son accent espagnol est inimitable et elle s'exprime sans prononcer un mot plus haut que l'autre. Eva, sa fille, est pratiquement née dans mon logis, et y vient en même temps que sa mère. Sa bouille de petite fille brune, gaie, intelligente et très énergique passe rarement inaperçue. Je joue enfin, et je découvre l'art de rire grâce à elle. Lorsqu'elle n'est pas là – Gloria, le matin, et le soir, travaille ailleurs –, je l'attends : je joue rarement sans elle. Je l'attends tous les après-midi. Je compte les heures. Eva est, depuis cette époque, ma seule et vraie amie. Une amitié de trente ans.

J'ai trois ans et demi, peut-être quatre ans, il est midi, et je suis seule dans ma chambre. Par la fenêtre, qui donne sur une cour étroite et d'où l'on peut voir les autres fenêtres de l'appartement, je distingue

Gloria, qui travaille là-bas, en face. Elle me fait bonjour de la main. Et voici que je tente d'ouvrir la fenêtre avec mes doigts d'enfant, pour rejoindre ma nourrice au plus vite. Le médecin, dont le cabinet, à l'étage en dessous, me fait face, me voit faire, constate que je suis seule, et prévient immédiatement Gloria de ma manœuvre. Cette dernière court pour éviter l'accident fatal, et me rattrape au moment où, ayant enfin ouvert la fenêtre, je me penchais vers le vide. En pénétrant dans ma chambre, en me serrant contre elle, elle constate que je suis empêtrée dans une couche sale. Tout le monde dort dans la maison – à l'autre bout. Ma sœur aînée, elle, est déjà à l'école. Depuis ce jour, sur ordre des parents, Gloria avait interdiction, lorsque j'étais dans ma chambre, de travailler de l'autre côté de l'appartement.

Mes parents étaient souvent de sortie, et je quittais rarement Gloria. Je discutais avec elle dans notre cuisine. Ma mère, qui se rappelait parfois qu'elle était ma mère, me proposait une promenade de temps à autre avec elle, et voyant que je répugnais à quitter Gloria, terminait la demande en ordre. Oui, Maman. Je viens, Maman.

Ma mère est heureuse, apparemment. Elle aime son mari au point de ne voir que lui, au point de ne voir personne. Elle se noie dans son bonheur, vit sa vie en laissant le soin à de nombreuses baby-sitters de s'occuper de moi, et de nous. Je suis docile, très obéissante, soumise au point d'accepter les premières duretés de cet étranger qui veut se faire appeler papa – le mari de ma mère. Il a en lui la haine du mâle qui sait que l'enfant, devant lui, n'est pas le sien. Les lions, paraît-il, tuent les lionceaux de la lionne qu'ils convoitent – afin de la rendre disponible.

Tout m'est imputé comme un crime. Par crainte de dire quelque chose de mal, de faire quelque chose de mal, par peur des coups, très vite, je m'introvertis. Au début, je me comporte comme tant d'autres petites filles, je cache des bêtises, des bonbons, pour qu'on s'intéresse un peu à moi. Je me rends volontiers chez le médecin qui m'a sauvé la vie, à l'étage du dessous, pour dévorer des sucreries au miel avec Eva. Et ça finit invariablement en dispute dès que je rentre : je voulais que l'on s'occupe de moi ? Eh bien mon beau-père s'en occupe, à grands coups de martinet.

Je vis en conséquence dans une appréhension et une anxiété quasi permanentes.

Durant ces premières années, Eva et moi sommes pratiquement tout le temps ensemble. Nous allons dans la même école catholique, Saint-Honoré d'Eylau.

Je porte une jupe grise avec un pull vert, tous les jours, toute l'année. Comme si c'était la tenue obligée de l'école. Mais il n'en est rien. Je suis la seule à être ainsi habillée dans cette école. Ma mère m'a inventé cet uniforme.

Gloria nous accompagne et vient nous chercher, ce qui lui permet d'assister à de nombreuses scènes. Le soir, j'ai une demi-heure d'étude, et pas une minute de plus, pour faire mes devoirs du lendemain. Les trois quarts du temps, cet intervalle ne suffit pas pour que je termine mes obligations. Et j'entends encore les cris de ma mère, et l'intonation cruelle de la voix de son mari, parce que je n'ai pas terminé ma tâche. Eva, qui sait ce qui va se passer, tente de me cacher derrière des coussins, derrière la porte de ce long couloir qui rejoint ma chambrette. Le mari de ma mère me trouve, me tire par un bras, me bat à coups de martinet. « Tu es pitoyable ! crie-t-il, mais regarde-toi ! » Déjà enfant, Eva me protégeait dès qu'il lui était possible de le faire. Très bonne élève, elle terminait mes devoirs afin d'éviter d'autres réprimandes – et pour que l'on puisse jouer ensemble.

Ainsi, tous les soirs, je rentre la peur au ventre, la peur d'être battue. À quoi sert la peur ? Il me battra, il m'a battue des années durant.

J'en perds l'appétit. Durant les repas, je mange peu, et avec méfiance. Je garde longtemps les aliments dans la bouche. Lorsqu'il voit que je ne mâche pas, mon adorable beau-père me force à avaler en venant par-derrière me claquer les deux joues brutalement. Immanquablement, je finis par cracher tout ce que j'ai dans la bouche, dans l'assiette qui est en face de moi et que je regarde accablée. « Avale, j'te dis ! Avale, ou je t'en rajoute deux de plus ! » Et il me remet dans la bouche ce que j'ai à moitié vomi.

Qui s'étonnera que je perde l'appétit, à n'absorber que des aliments pré-mâchés, pré-déglutis, recrachés, remangés ? Je sanglote, et ça n'arrange rien. Calme pourtant en apparence –, mais terrifiée, l'estomac noué, jusqu'à ce que j'aie enfin l'autorisation de me retirer en silence. Pour me réconforter, Eva vient me réveiller le lendemain avec un gâteau à la crème.

Le Funeste : ainsi appelé-je, à partir de cette date, ce beau-père manipulateur, vicieux, violent et hypocrite. Il frappe, il frappe et il aime ça. Il prévoit même de bonnes raisons aux marques qu'il me laisse sur le corps. Il se joue de moi selon son bon plaisir – souvent juste avant la venue de ma grand-mère Jackie.

Ses visites restent pour moi d'excellents souvenirs. Elle nous apportait le goûter à la sortie de l'école, sans forcément nous raccompagner dans l'appartement de la rue Crevaux. Eva, ma seule et unique amie, était toujours de la partie. Jackie arrivait avec des cadeaux plein les bras. Quand elle venait jusqu'à la maison, elle veillait à ce que tout se passe au mieux. Était-elle dupe de la façade que présentait mon beau-père, de cette apparence de couple uni et protecteur ? Je ne sais pas. Mais elle me cajolait trop – sans parvenir à partir – pour qu'elle n'ait pas senti combien je regrettais, à chaque fois, son départ.

Le Funeste, systématiquement, me faisait, à un moment ou un autre, payer ces rares moments de bonheur.

Mon père cependant vivait dans sa gloire naissante et le bonheur de sa vie familiale. Il était à présent père d'un second garçon.

Nous passions certaines de nos vacances à la campagne avec mes (demi-)frères et Babette. Un chauffeur venait nous chercher, puis nous ramenait à la maison. Je me souviens des quelques Noëls passés avec lui. Mon frère demi-jumeau se déguisait en Zorro ou jouait au gendarme et au voleur. Mon père posait des questions, et ma sœur aînée y répondait, la plupart du temps. Ma sœur – pour quelle raison était-elle épargnée ? – ne vivait pas la même chose que moi, et racontait de son point de vue la vie avec notre mère, dans son nouveau foyer. Moi, j'étais toujours trop petite pour les autres, pour comprendre, pour parler – parachutée en quelque sorte. Tout ce que je savais, c'était la forme, le sifflement et la texture d'un martinet.

Michel serait un père patient, s'il n'avait pas tendance à s'impatienter à l'improviste, et d'un instant à l'autre. Ses sautes d'humeur et de conduite n'ont d'autres raisons que le moment – jamais la personne qu'il a en face de lui, sauf si la situation le lui impose. Et je me souviens bien d'un matin où il était mal réveillé, et m'a traitée de « tas de merde » parce que je n'évacuais pas sa salle de bains assez vite. J'avais cinq ans. Des mots définitifs, pour lesquels il ne s'excusait jamais. Il m'arrivait d'avoir peur de lui et de fuir dès que son timbre de voix trahissait son énervement.

J'avais six ans, et mon père m'intriguait tout de même. Non pas parce qu'il était artiste – je n'en avais pas pleinement conscience, même s'il est particulier de voir régulièrement son père sur un écran de télévision, mais un enfant trouve très vite cela normal. Ce qui me remplissait de perplexité, c'était de voir mon père perpétuellement entouré d'une foule de gens. Parfois il restait assis, et cogitait en me fixant du regard pendant que les autres continuaient de converser. Je le regardais à mon tour, en tentant de résister. C'était un jeu, et je n'avais que ça à faire, mais sans parvenir à soutenir son regard – ce qui me faisait augurer de bien d'autres facettes de mon paternel, durant ces périodes de vacances.

Je me souviens aussi des contrevérités à répéter, sur des choses stupides : dire par exemple que nous portions des vêtements neufs, alors que nous avions le plus souvent de vieilles fripes sur le dos, bien qu'il donnât à notre mère tout ce qu'il fallait pour notre entretien.

Juste après leur divorce, mon père avait acheté à ma mère une grande maison dans le sud de la France, où nous nous rendions pratiquement tous les étés. Mais même pendant les vacances, je restais réservée, car j'avais peur de tout, et de lui aussi.

Peut-être parce que j'étais si lointaine, si distante, au bout de quelques jours mon père s'émouvait de ma sérénité. Sans doute ne comprenait-il pas toujours ce qui se passait en moi, mais il me prêtait un peu de son attention.

Mes rêves de petite fille s'étaient cristallisés sur ce héros voyageur, dont je ne savais jamais quand j'allais le revoir. Quant à sa nouvelle femme, Babette, elle était blonde, comme ma mère, à laquelle elle ressemblait d'une manière frappante, un peu effacée, et pas toujours très accueillante vis-à-vis de ma sœur et de moi. Avait-elle des raisons très personnelles de se comporter ainsi ?

À Paris, d'autres journées étaient parfois organisées avec d'autres bambins d'artistes et de producteurs de la maison de disques de l'époque, au sein d'un environnement beaucoup plus allègre. Mon père n'était pas toujours là, mais je jouais dans une atmosphère bon enfant – l'ambiance normale où peut s'épanouir une petite fille.

De retour dans notre appartement parisien, il m'était impossible de prévoir ce qui allait m'arriver l'heure suivante, tant le mari de ma mère se déchargeait parfois sur moi. Je tâchais donc de garder un maximum de retenue, instinctivement, pour éviter tout déchaînement.

Ma marraine, Anne, venait me chercher à l'appartement une fois par semaine. Nous restions ensemble, dialoguions un peu – vraiment peu, vu ma retenue. J'aimais l'intonation de sa voix sage, douce, posée et rassurante. Sentir à travers mes petits doigts d'enfant ses cheveux blonds, son parfum poudré et sucré lorsque je l'embrassais… Je vivais à ses côtés ce que j'appelais de toute mon âme – l'amour d'une mère. Puis nous nous promenions toutes les deux dans les rues de Paris, main dans la main – et elle avait une façon bien particulière, énergique, de me la serrer.

Parfois, le dimanche, mon grand-père maternel, Louis, nous conduisait au Jardin d'acclimatation pour une croisière sur la rivière enchantée. J'adorais ce parc de Neuilly, en bordure du Bois de Boulogne. J'admirais beaucoup cet homme déjà âgé, cet intellectuel si souvent impassible. En fait, me dis-je alors, il ne parle que quand il a quelque chose à dire. Asthmatique, il ne se séparait pas de son inhalateur lors de ses crises respiratoires. Je le connaissais à peine, et je l'observais attentivement dans cette petite barque radieuse, dans ce cadre angélique, féerique, fait d'eau, d'espace et de couleurs.

Ma mère décida finalement d'emménager à plein temps dans le Midi. Sans chercher des symboles là où il n'y en a pas, il était évident que cette façon de s'installer dans la maison achetée par mon père, c'était, dans sa tête d'épouse mal remise de sa séparation, une manière de cohabiter avec lui – en son absence.

Mais pour moi, ce fut une terrible punition que de me retirer tout ce que j'avais de plus cher. La grande maison était magnifique, avec une grande piscine, un immense jardin, mais dans l'esprit de la fillette que j'étais, ce bassin serait bien vide et bien peu amusant sans ma meilleure amie. Quelques jours avant notre départ, Eva et moi avions alors inondé la cuisine en créant une piscine où nous sautions à pieds joints.

Je me rappelle les cris de Gloria réprimandant sa fille, et mes cris, mes hurlements, et les protestations inquiètes des voisins.

Mais je suis partie tout de même.

Ma vie est pleine de ces cahots.


Me voilà inscrite dans une nouvelle école, Saint-Michel. Je dois me refaire des amis, vivre dans une nouvelle maison, et rompre mes liens, peu à peu, avec le reste de la famille. Mon beau-père mène, si je puis dire, une double vie : il travaille durant la semaine à Paris, et prend l'avion tous les week-ends pour nous retrouver. Il emmène volontiers avec lui sa famille, toute sa famille – et certains sont aimables –, mais refuse constamment la présence de la mienne : ni ma tante, ni son mari, mon oncle, ni mes cousins.

Ma grand-mère maternelle sera, elle, acceptée une fois par an. Et pas plus.

À l'école primaire, je papote beaucoup avec mes camarades, au mépris de la discipline. Mes bulletins de notes sont pleins de critiques de mes « bavardages incessants », quand ils ne me reprochent pas, au contraire, de me réfugier dans des songeries. Je « rêvasse », paraît-il. Pas par malveillance, pas par ennui. J'ai la tête pleine d'ailleurs.

Je vis ma première histoire d'amour avec un petit garçon nommé Thierry. Il est brun, la peau mate, et porte des lunettes. Nous sommes dans la même classe, mais il m'attend à toutes les récréations, et quand je me rends à mes cours de danse classique du soir. Il reste près de moi dès qu'il en a l'occasion. Il lui arrive de venir chez moi, car sa mère passe régulièrement chez des voisins. Il se faufile alors dans le fond de mon jardin, par une petite porte en bois. En saison, nous allons manger des cerises à même l'arbre dans d'autres parcs privés, et revenons la bouche et les mains rouges, essoufflés parce que nous avons couru quand le propriétaire nous a surpris. La mère de Thierry rit de nos écarts ; quant à mon beau-père, une fois le jeune garçon parti, il me demande sévèrement où nous étions encore fourrés. Et je rentre dans ma chambre tête baissée, rapidement, afin que la réprimande ne se transforme pas en correction. Si bien qu'au bout de quelques mois, Thierry n'est plus retourné à la maison. D'autres amis, venus profiter de la piscine et du jardin, se sont effacés peu à peu de la même manière. Le sinistre Funeste me construit une admirable solitude.

Alors, je me réfugie auprès de mon chien. Et l'on ose me reprocher d'être une petite fille renfermée !

De la piscine, on a une vue panoramique à 180 degrés. L'horizon m'appartient. Je me répète qu'un jour, j'irai quelque part. Sans savoir où. Là-bas. J'irai bâtir un monde à moi, sans cris, sans conflits, sans violence. Je me le répète jusqu'à retrouver des forces, et le sourire. Oui, je serai dans un endroit merveilleux fait de richesse, de générosité, de rire, d'amour, comme le pays d'Alice, un pays des merveilles. Ailleurs, me dis-je, c'est forcément meilleur...

Ma mère est de plus en plus aveuglée par son mari. Peut-être ne veut-elle pas répéter l'échec de son premier mariage. En tout cas, elle se préoccupe bien peu de savoir ce que j'en pense.

J'ai évoqué plus haut mes cours de danse : c'est la seule activité où notre mère est vraiment proche de nous. Avec enthousiasme, même. Elle confectionne des costumes pour les soirées de gala, nous coiffe et nous maquille. Les chignons qu'elle complique de postiches sont toujours très serrés et impeccables. « Il faut souffrir pour être belle ! » répète-t-elle. C'est sans doute sa façon à elle de revenir à ses souvenirs, à son métier de danseuse à l'Opéra de Paris, au Châtelet, et de les revivre à travers nous et nos spectacles de fin d'année.

Mon père se rendit pour une journée dans la maison de Vence, avec des copains de scène et d'autres artistes, durant une tournée. Le mari de ma mère, que j'appelais déjà Papa, eut, ce jour-là, l'adresse d'affecter un comportement adéquat, riant de toutes mes bêtises, jouant avec moi des heures durant. Mais dès que mon père fut parti, instantanément son attitude changea. Et il expliqua longuement à ma mère, qui courbait la tête sous l'averse, que Michel Sardou passait partout pour un abruti – et autres noms d'oiseau.

Après ma communion, les visites avec mon père furent encore moins nombreuses, les coups de fil de plus en plus rares. Nos liens s'effilochaient, au moment même où le bourrage de crâne s'intensifiait. « Un abruti, je te dis. » Si bien que j'ai fini quasiment par le croire.

Ce père absent est le Tabou de cette famille. Ni ma mère ni son mari ne nous parlent de lui, sinon pour nous en dégoûter. Tous deux zappent dès qu'il apparaît à l'écran. Ne me parviennent, à intervalles plus ou moins réguliers, que de vagues traces de lui – cartes d'anniversaire ou de bonne année. Elles suffisent à peine à me persuader de son existence, et, symétriquement, de la mienne.

Ma mère m'habille donc volontiers comme un garçon – et point n'est besoin d'être psychanalyste pour comprendre les frustrations profondes que révèle cette attitude. Elle confectionne elle-même des vêtements sur mesure qui me font horreur, dans des fibres inconfortables. Des vêtements qui m'enlaidissent autant que possible. Je les porte pour lui faire plaisir et parce qu'elle y a mis du temps, sans parvenir à m'y faire. D'autant que mes copines s'habillent, elles, comme elles le désirent – en tout cas, comme des filles.

Ma coiffure elle-même me fait garçon par défaut. Une coupe au carré qui ne me va pas.

Je me souviens avec dégoût de cette séance chez le coiffeur. C'était un homme d'une quarantaine d'années, qui détailla mon visage dans un langage très professionnel. Il regarda mes cheveux, puis se mit à couper, et couper encore. On me fit tourner le dos au miroir, et je ne vis rien du désastre, sinon mes cheveux qui tombaient par masses. Ma mère insistait, dans mon dos. « Coupez, allons, mais coupez donc ! » Et je me souviens du moment où le coiffeur a fait pivoter le fauteuil pour que je me contemple dans la glace. J'ai senti une boule de larmes monter en moi, et exploser. Elle l'avait enfin, son garçon !

D'ailleurs, dans les semaines, les mois qui suivirent, tout le monde s'ingénia à me le répéter, à me le rabâcher, jusqu'à la nausée.

Bien sûr, j'avais un mal fou à me reconnaître dans cette peau de fiston ! J'avais beau protester : « Je suis une fille et pas un garçon ! Je suis une fille et je suis digne d'être une fille ! » – les voisins levaient vers ma mère un regard interrogateur et lui demandaient : « Mais dites-moi, madame, pourquoi votre petit garçon dit-il qu'il est une fille ? Il n'est pas bien… »

Avec un accent du Midi plein de commisération pour ce môme aux mœurs déjà équivoques…

Ma mère était aux anges, cette coupe de cheveux m'allait à ravir, à l'en croire…

Mes cheveux ont rallongé, par la suite, et je me suis appliquée à conjurer la garçonne qu'elle avait faite de moi. Je me suis bien promis, dans mon for intérieur, que si elle me traînait encore dans ce salon de coiffure, les passants croiraient tous qu'on égorge un cochon.

Me voilà au collège public. Je me refais des amis, car les anciens se retrouvent dans une autre école. Ou plutôt, je tente de m'en faire. Je n'aime guère l'endroit, et les premiers élèves rencontrés m'accueillent illico comme une pièce rapportée, une « nulle », dans leur langage définitif, bien qu'ils ne me connaissent pas. « C'est la fille d'un type ultra connu, tu sais ? » « Elle s'appelle "Sardou", nous, on va t'appeler Sardine. » « D'ailleurs, tu ressembles à une sardine… »

Ma sœur est passée juste avant moi dans ce champ clos où elle a généreusement lancé le sujet, et suscité les premiers sarcasmes. Me voici face à ces mesquineries incessantes. J'encaisse les sardines en boîtes, par milliers. On me taquine : « Qui c'est, ton père ? Qu'est-ce qu'il fait, comme métier ? » Je réponds toujours : « Laissez-moi un peu de temps, je vais y réfléchir », sans donner réellement de réponse.

Sans chercher à me donner un genre : franchement, je ne sais plus qui je suis.

Qui suis-je ? Je combine les commentaires des parents, et des uns et des autres. Je mélange le tout, et je suis perdue. Mon père est un artiste, oui, c'est certain, mais je ne sais pas où il est à l'heure actuelle, et je ne vis pas avec lui. Je le vois très peu, et nos rares rencontres sont insuffisantes pour me faire réaliser que j'ai un père. En outre, je ne sais pas véritablement ce que fait mon beau-père. Un jour, il est producteur d'un groupe de chanteurs, et le lendemain il se retrouve directeur des marchés internationaux du film, de la télévision ou de la musique (je n'ai jamais été capable de dire ce que faisait le Funeste, dont les propos sont invention pure, flatterie généralisée). Il est chez moi, je vis avec lui, mais il n'est pas sympa avec moi, lui non plus. Que dois-je penser ? De qui ? De quoi ? Je stagne encore entre les deux hommes. Papa ou Papa ?

Les professeurs, à l'école, lorsque je remplis les fiches de rentrée, me reprochent de ne pas savoir exactement comment je m'appelle, ni ce que font mes parents. Je finis d'ailleurs par ne plus le savoir moi-même. Cynthia Sardou sombre dans l'anonymat.

Ma mère et son mari, qui exigeaient depuis déjà quelques années que je l'appelle « Papa », entament une procédure auprès d'un avocat afin que j'utilise son nom de famille. Une action que refuse catégoriquement Anne, ma marraine. Cet homme n'est pas mon géniteur, et il ne le sera en aucun cas, m'explique-t-elle. Je suis fixée : je sais désormais ce que j'ai à déclarer à l'administration. Et je poursuis mon année, presque rassérénée, avec mes tonnes de boîtes de sardines, bien compressées.

Les cours m'intéressent, mais je suis une élève très moyenne, sauf dans les langues étrangères où je brille particulièrement – matières qui me sauveront la mise plus d'une fois. Cela me laisse le temps d'observer mes professeurs, et de remarquer que chacun d'eux ressemble à la notion qu'il enseigne.

Un professeur d'histoire m'a particulièrement marquée. Si je me rappelle si bien monsieur Roi, c'est
parce que sa personnalité était fort singulière. Il avait
certes de quoi choquer, à l'époque, un adolescent.
Nous attendions tous dans la classe, et entendions ses
grandes enjambées depuis l'autre bout du couloir. Il
rentrait en claquant la porte avec fracas. Il portait des
vêtements de cuir des pieds à la tête, de grandes
bottes aux semelles épaisses et des crochets en acier.
L'homme à la moto de Piaf, c'était lui ! Il avait une
coupe au carré exactement comme Jeanne D'Arc.
Et, dernier détail, il caressait sa moustache à chaque
réflexion avec ses doigts encombrés de bagues. Nous
l'appelions La Botte de sept lieues, le Bouffon du Roi
ou le Fou du Roi, dans ses colères, ou encore, plus
simplement, le Roi, à cause de sa nature majestueuse.
Il était autoritaire, peu enclin aux compromis, et se
tenait droit autant dans son allure que dans son
regard. Il aimait passionnément son métier.

Durant les Vacances, les parents partent à l'étranger
ou ailleurs. De notre côté, ma sœur et moi allons
en colonies de vacances à Gréolière ou Isola. Des
centres aérés agréables, même s'ils ne m'ont pas
laissé de souvenirs impérissables. Eva est venue
quelques étés dans notre grande maison. Ces
vacances-là, oui, je me les rappelle. La piscine, les
fous rires et les nuits blanches à faire la java. Nous
mangeons des gâteaux au yaourt, préparés par ma
mère. Je peux me réjouir de tout sans qu'aucune
menace ne se profile à l'horizon.

Jackie Sardou, ma grand-mère, se rend quant à elle pratiquement tous les étés à Cannes, en compagnie de ses amies et d'autres comédiens. Nous nous retrouvons sur une plage et passons nos journées avec elle, – sa gouaille, son langage de Parigote et son cœur débordant de ferveur.

Noël ! La fête des enfants…
Le fils du mari de ma mère venait passer les fêtes de fin d'année avec nous. Et nous recevions en cadeau un chèque de mon père, sans un mot d'accompagnement.
Je ne savais même pas de qui provenait cet argent. C'est seulement en lisant son nom sur le chèque que je vis qu'il s'agissait de mon père. Ces chèques nous étaient régulièrement adressés. Puis au fur et à mesure des années, les chèques étaient soi-disant perdus, volés, ou égarés – volontairement. Mais je l'ai su aussi plus tard.
Mon père appelait à Noël et pour mon anniversaire, et encore. À l'une de ces occasions, il proposa de nous emmener dans un parc d'attractions pendant quelques jours. Ma mère refusa – n'est-ce pas, en période scolaire, souci de nos études, etc.
Ce parc d'attractions, je n'y suis jamais allée, ni à cette époque, ni après.
Mes vacances étaient exclusivement dirigées vers des buts éducatifs. Ma mère m'a, deux années consécutives, inscrite dans des voyages organisés dans des familles anglaises. La première année se passa à Plymouth dans le sud de la côte britannique. La deuxième fois, ce fut à un petit quart d'heure de

Londres. Une banlieue d'un calme édifiant. J'étais chez un couple de personnes âgées, très aimantes, dont le fils, âgé d'une trentaine d'années, était handicapé mental et sourd. La mère de famille, Lucy, me préparait des déjeuners particulièrement copieux. Le père, surnommé Jim, raffolait de son jardin qui ressemblait à un village de bande dessinée. Sa vieille Cadillac rouge décapotable, garée à l'extérieur de la maison, était étincelante, comme neuve, et sa grande fierté était de la conduire décapotée dans les environs avec son fils. Il tenait étrangement à ses fétiches – sa casquette, sa salopette orange, sa paire de Kickers et autres amulettes identiques portées chaque jour. Leur fils, Kim, restait souvent dans sa chambre, ouvrait toujours la porte dès que je passais devant la sienne, et une fois à l'intérieur, il déposait devant moi un électrophone, des disques, des livres et disparaissait instantanément. Il faisait toujours en sorte que je ne sois jamais dérangée, ne formulait rien à haute voix, mais voulait communiquer. Je lui demandais de m'accompagner dans son quartier et de me faire visiter les environs. Les voisins, à son passage, murmuraient des mots doux – fou, cinglé, débile – et les enfants répétaient ces injures en boucle.

J'appris, pour communiquer avec lui, un anglais basique, minutieusement articulé, et quelques termes dans le langage des signes. Le matin, nous étudions les langues étrangères avec un groupe, et l'après-midi, nous visitions les musées de Londres. J'avais l'avantage d'être avec cette famille en totale confiance. Ils me laissaient sortir quand je voulais, et je respectais de mon côté scrupuleusement les horaires de rentrée. J'allais régulièrement avec une amie, Ève, dans la capitale anglaise, et nous faisions les boutiques ensemble.

Cette escapade anglaise m'avait séduite. Je n'avais aucune envie de rentrer chez moi. Je pressentais les nuages, les orages.

Cette année commença mal. Mon emploi du temps me parut démentiel. Les professeurs prirent l'habitude de me mettre à la porte quand je ne répondais pas à leurs questions. Le premier trimestre fut lamentable, et je dus cravacher sérieusement pour m'en tirer dans les mois suivants, mais sans y parvenir, et pour cause…

Début décembre 1985, le jour de mon douzième anniversaire. J'ai invité des amies, sans soupçonner qu'il puisse se tramer quelque chose ce jour-là.

Mon beau-père vient juste d'arriver de Paris. Visiblement la semaine n'a pas été des plus productives, et son humeur est vipérine.

La première sonnerie retentit, une amie franchit le seuil. Ma mère arrive à son tour, me fait remarquer que je porte mes pantoufles et que l'on n'accueille pas ses ami(e)s de la sorte.

Bien. Je continue de m'occuper de mon amie quand une deuxième arrive. Je n'ai pas eu le temps d'enlever mes chaussons ; mon beau-père remonte les escaliers, et me voyant toujours sans chaussures, me lance d'un ton agressif :

— Tu veux bien écouter un peu ce qu'on te dit ? Va donc mettre tes chaussures ! Tu es ridicule !

Je monte dans ma chambre avec mes copines, j'enfile mes chaussures et je tente de penser à autre chose. Marre des adultes !

Un quart d'heure plus tard, le Funeste remonte sans bruit l'escalier, frappe à la porte de ma chambre et me demande de sortir. Il vient de prendre connaissance de mon livret scolaire.

– Alors, écoute-moi bien ! commence-t-il. Tu ne sais pas recevoir tes amis, tu les accueilles en pantoufles ! Ce que tu vas faire, c'est que tu vas leur dire de partir, et on verra après ensemble ce qui se passera ! Moi, je suis fatigué. Je viens juste de rentrer de Paris. J'ai eu une semaine terrible, une semaine épouvantable. Il est hors de question que je supporte ce genre de… de désordre !

J'ai eu peur, à ce moment précis. Peur comme un lapin pris dans des phares. Je n'ai pas su quoi inventer. Mes amies ont bien pensé qu'il y avait un problème avec cet homme. Et je savais, moi, ce qui m'attendait. Je savais que j'allais encore me prendre une trempe.

Peur panique. Mon cœur a commencé à s'emballer. Le ventre noué.

– Ma mère ne va pas bien, ai-je balbutié.

Piètre excuse.

Mes deux amies appelèrent chacune leurs parents respectifs, et partirent une demi-heure plus tard. Quand je les ai vues s'éloigner de la route, j'ai littéralement entendu mon cœur battre la chamade. Je suis restée aussi longtemps que possible sur le pas de la porte, à leur faire de grands gestes d'au revoir, alors même que les voitures avaient disparu.

Je suis rentrée enfin, et il me guettait juste derrière la porte. Il m'a saisie comme on se saisit d'une peluche, que l'on secoue dans tous les sens. Je suis parvenue à lui échapper et me suis réfugiée dans les lavabos situés à côté de la porte d'entrée. Je me suis enfermée à double tour en tremblant d'effroi.

— Si tu n'ouvres pas, je défonce la porte ! hurlait-il.

J'ai tâché de me persuader qu'il n'oserait pas le faire, et j'ai attendu qu'il se calme.

— Pour la dernière fois ! Si tu n'ouvres pas cette porte, ça va mal se passer !

Et il a osé. D'un coup de pied, il a défoncé la porte, qui m'est tombée sur un coin du crâne.

Il m'a tirée brusquement par le bras. J'ai eu beau essayer de m'accrocher, il m'a tirée à lui, m'a dégagée des lavabos, et la valse a commencé.

Il évitait de frapper au visage, pour ne pas laisser de traces. Mais ça n'aurait eu guère d'importance : ma mère assistait au spectacle sans l'arrêter et sans rien dire.

Il m'a battue comme il n'avait encore jamais osé le faire. D'habitude, c'était invivable ; cette fois, ce fut barbare. J'étais recroquevillée au sol. J'y suis restée quelques instants. J'ai cru que j'allais mourir. Pourquoi me faire subir ça, le jour de mes douze ans ? Pourquoi le subir ?

La nuit fut longue. Je ne pouvais pas fermer l'œil. L'esprit en alarme, inquiète de tout. Seule et impuissante. Ma sœur n'était plus là, je ne pouvais pas

l'appeler, ni appeler qui que ce soit pour me réconforter
– à cette heure. Et demain, qui ?

Le lendemain, on me réveilla très tôt, pour effectuer
des tâches dans le jardin. J'étais moulue. L'ambiance
était glaciale. Au petit déjeuner, la première réplique
fut :

– Bon anniversaire.

Sur un ton d'une froideur qui démentait le propos.

Il m'a balancé mon cadeau d'anniversaire sur la
table comme il m'aurait jeté un os.

– Tiens. Prends ça, je te l'ai acheté à Paris.

Comme si ce détail ajoutait au cadeau une valeur
inestimable ! Tu parles d'un anniversaire !

Depuis ce jour, mes amies ne vinrent plus chez
moi. Leurs parents ne voulaient même plus les laisser
venir, c'est moi qui allais chez elles, le plus souvent.

À l'école, je ne suis plus là, plus vraiment là, ni
dans les papotages de la récréation, ni dans les cours.
Je suis comme sonnée. Abasourdie. Assise, au fond de
la classe, à la place du cancre. Ma place. Les séquelles
des plaies internes et externes ne s'atténuent pas. Mon
esprit divague. Je pense à Eva, et à ma grand-mère.
Je pense à faire une fugue, à m'enfuir à l'étranger.
J'y renonce parce que l'angoisse est plus forte, para-
lysante, et parce que je n'ai à ce moment-là plus la
force de recevoir ni d'accepter d'autres horizons. Je ne
travaille plus. Une fois les cours terminés, ou après
l'école buissonnière, je suis dans un état panique,
au moment de rentrer. Le fait est que je sèche les
cours, et me cache dans l'enceinte de l'établissement

scolaire. On m'appelle, sans que je bouge. Je me sens en sécurité à cet endroit, et j'y ai mes repères.

Mes amies ne savent pas toujours où me trouver. Je dors souvent chez l'une d'entre elles, afin de faire quelques devoirs dans une ambiance apaisée. La peur éveille en moi de nouveaux réflexes, notamment celui de regarder sans cesse derrière moi. Je suis une bête traquée.

Le principal de l'école avait de l'affection pour moi malgré mon côté rebelle. Au lieu de sévir, il a opté pour un comportement paternel, me rappelant toujours que je pouvais venir le voir quand je voulais, sans prendre rendez-vous. Mais il était bien obligé de m'appliquer la loi commune : heures de colles et exclusions successives.

On me fit payer cette année scolaire de déboires l'été suivant.

Eva et Gloria me proposèrent de venir en Espagne pour les vacances, en Galice. Mes « parents » refusèrent de m'y envoyer : j'étais trop jeune et trop contemplative… Je reçus ensuite un courrier de mon parrain Norbert Aleman, qui m'invitait à aller le voir aux États-Unis. Il habitait à cette époque dans le New Jersey. Je retrouvai le sourire : j'avais enfin trouvé une personne en laquelle je pourrais avoir confiance, quelqu'un qui me relierait au monde des vivants. On s'occupa ostensiblement de mon passeport, mon parrain me confirma qu'il se chargeait du billet – et puis plus rien. Plus de nouvelles. Les « parents » m'informèrent que finalement il ne pouvait me recevoir, pour des raisons professionnelles. Je supposai que c'était vrai, mais j'étais de nouveau déçue, et doutais de tout et de tous. Douze ans plus tard, Norbert m'expliqua que tout avait été inventé, et qu'il avait été bien déçu lui-même d'apprendre très officiellement que je ne pouvais venir…

Mes « parents » vendirent alors la maison de Vence, la maison qui venait de mon père, pour en faire construire une autre, plus éloignée encore du centre-ville. Et ils louèrent entre-temps une habitation où nous vivrions jusqu'à la fin des travaux.

La maison de Vence, bien que je m'y sente si seule, si triste, était le dernier lien génétique avec la famille Sardou. Mon grand-père y était venu de son vivant, il avait peint lui-même une très belle toile représentant cette villa. Mon père en avait fait un lieu de répétitions pour ses spectacles plus de quinze ans auparavant, bien avant ma naissance. Je gardais également le souvenir des instants passés là avec ma grand-mère et ma meilleure amie durant ses quelques congés. Cette maison était toute ma jeunesse, depuis l'âge de trois ans : et on tirait brutalement un trait sur tout ce qui me rattachait au passé.

Nous avons finalement réemménagé dans le petit village de Tourrettes-sur-Loup.

La nouvelle maison fut, dès les premiers jours, squattée par la famille de mon beau-père (qui, entre parenthèses, s'en attribua officiellement une partie, et devint ainsi copropriétaire, avec ma mère – ce qu'il convoitait depuis toujours). Ma mère ne se rendait compte de rien, faible et aveuglée qu'elle était par cet homme. Elle ne se doutait pas un instant que la double vie professionnelle qu'il menait à Paris était une double vie tout court.

Ma sœur est là, mais distante, toujours affligée certainement par la séparation de mes parents, mais pour des raisons sensiblement différentes des miennes. Nous avons des personnalités presque opposées. Enfants, nous étions tout le temps en train de nous chamailler, et je ne me rappelle pas m'en être un jour sentie proche. Ni lorsque j'étais encore un poupon, ni en grandissant. Plus tard, elle se laissa aller aux confidences. Elle me racontait souvent son petit ami, me parlait d'elle, de ses petits et de ses gros bobos, notamment d'un accident grave à l'âge de quatre ans. Elle avait besoin de se sentir belle, il fallait qu'on le lui dise, afin de combler toutes ses failles. La beauté physique restait son atout majeur. Plus tard, je fus parfois sa complice, ou son alibi, dans ses sorties nocturnes.

La confiance qu'avaient en elle mes parents s'est effritée peu à peu, et vers dix-sept ans, elle est partie vivre chez un ami.

Le jour où mon aînée s'est retirée, je me suis retrouvée encore plus isolée dans cet environnement perfide.

Il m'arrivait parfois d'aller en vacances au sein de la famille du Funeste. C'étaient des périodes étranges, pleines de duperie et d'affection simulée, où l'on se taisait dès qu'apparaissait cette petite adolescente qui portait un autre nom. Eux-mêmes prirent l'habitude de s'installer chez nous, et bientôt je ne vis plus que les parents du Funeste, au détriment de tous ceux qui appartenaient à ma famille propre.

Courriers, contacts, cadeaux s'estompèrent et disparurent. Ce fut comme si mon père m'avait rayée du monde des vivants – à son insu ! Une famille entière conspirait à me détacher de lui. Elle pensait y trouver son compte : à commencer par la maison de Vence, ce qui nous venait de notre père était peu à peu détourné en d'autres mains.

On ne me laissa guère le loisir d'être adolescente. Ma puberté se termina prématurément, physiquement et psychologiquement.

À quinze ans, je me sens inachevée, bâclée. Je suis enfermée dans le luxe radin de cette grande maison, où d'autres parents de mon sang, notamment ma tante Sylvie, tentent régulièrement de venir, sans y arriver.

Extérieurement, je m'abîme dans l'acceptation de tout, et dans les sucreries. Besoin de douceur… Mais je m'exècre, dans ma boulimie de nourriture et d'âneries.

Je vis dans cette lâcheté. Je m'endurcis en revanche, et trouve d'autres astuces. Je fais semblant de rire aux blagues les plus crétines. Tous les week-ends, il faut rester là au garde-à-vous pour accueillir le Maître de cette cérémonie de dupes. Ma mère y tient.

Seule consolation, j'ai de bons rapports avec le fils du Funeste, né d'un premier mariage, un petit garçon que j'ai toujours considéré comme un vrai frère. Il est plaisant, sensible et intelligent. Je me dis alors que nous devons nous ressembler un peu, fatalement. Il a mal vécu le divorce de ses parents, et passe sa vie d'étudiant dans une autre ville de France. Bien qu'il soit un passionné de golf, de petites voitures et de trains électriques, il participe à tous les jeux de filles, quand ma meilleure amie, Eva, nous rejoint pour les vacances. Il évoque rarement sa mère devant les autres, mais me parle d'elle de temps en temps comme d'une perle rare. Je crois l'avoir compris comme personne. Nous avons la même sensibilité à fleur de peau.

Quant à mes frères… Où sont-ils ? Que font-ils ? Pensent-ils à moi ? Je ne sais pas, le sujet est hautement sensible, et censuré. Voyons, où ai-je donc la tête ! Ne pas poser de questions. Ne jamais tenter d'entrer dans le cercle des vampires.

Je commence à me décourager. À ne plus faire d'effort. À ne plus même tenter d'être conciliante. Puis j'accumule les fréquentations les moins fréquentables. À l'école, je me lie avec les têtes brûlées.

Je deviens experte en simulacres. Comment boire alcoolisé, sans avoir une haleine de pachyderme. La vodka nous paraît à tous la boisson idéale, branchée. Fumer des cigarettes, puis passer aux joints nous semble également le *must* de nos soirées de débauche. Je me dévergonde. Je m'en moque, et les parents devront accepter la cigarette, à un moment ou à un autre. Je suis en pleine crise d'adolescence, je suis adulte et encore une sale gamine. Je joue à faire semblant, ça me prend tout mon temps, je ne m'en lasse pas, j'agis dans la foutaise et je fais comme tout le monde. Je me disperse, et ne suis réduite qu'à la médiocrité et à l'insignifiance. Je vis mes fourberies comme des farces faites à une famille de cinglés. Je m'étiole. Je meurs.

Je dois me réveiller, je dois partir quelque part. Ma jeunesse n'est peut-être pas tout à fait perdue. Je dois me fixer un but. Je veux découvrir le reste du monde. Je m'y rendrais par n'importe quel moyen. Je veux retourner en Angleterre. Je veux connaître tout ce que je ne connais pas. Je ne sais pas, je ne sais plus. Je dois partir de cette prison dorée. Conquérir ma liberté, sans conflits, sans cris, sans pleurs. Trouver le bonheur…

Dans mes délires dissipés d'adolescente, je réfléchis à une stratégie. La solution qui me paraît la plus efficace est de travailler, gagner de l'argent de poche, et m'enfuir. Sortir, voir mes amis, rire, aller en boîte de nuit après, rentrer à point d'heure, ou ne pas revenir. Ne jamais rentrer. Les baby-sittings pourraient convenir dans l'immédiat.

Je dépose des annonces chez des commerçants du village, une dame divorcée me contacte, elle a deux enfants en bas âge, quatre ans et deux ans, et me demande de les garder le soir. Je la rencontre, nous sympathisons, ses enfants sourient tout le temps. Je prends du plaisir à m'occuper d'eux, et eux-mêmes sont contents de moi.

Mais le fait de voir exister une autre famille que la mienne m'ouvre les yeux. Il y a des chiens mieux traités que moi. Ma vie, ma « famille », la passivité et l'égoïsme de ma mère, tout me dit que je ne respire plus. J'étouffe. Je m'asphyxie.

L'année suivante, je choisis d'entrer dans une école hôtelière. C'est encore le meilleur moyen de me confectionner une réelle éducation – que je n'ai pas – et de détaler. Mais qui me demande pourquoi j'ai choisi cette voie ? Qui me demande ce que je veux faire de ma vie ? Je suis seule à le savoir. Je ne dis rien de mes ambitions, pour ne pas risquer que qui que ce soit se mette en travers de ma route. Je suis malaxée jusqu'à l'âme. Je dépends encore d'eux, physiquement, légalement. Encore deux ans avant d'être majeure.

Au sein de cette école, j'approfondis ma culture générale, et je me fais une culture en gastronomie française. De surcroît, je participe à de nombreux voyages, pour promouvoir la cuisine française, en Italie, à Amsterdam et en Norvège. Expéditions mémorables. Plusieurs de mes professeurs sont devenus, avec le temps, des amis.

Ces excursions à l'étranger me font un bien fou. Je n'en dévoile rien. J'ai peur, j'ai toujours peur. Si je me dévoile trop tôt, on ne me laissera plus partir. Plus jamais. On me dira, on me redira que je suis une bonne à rien. Nulle, comme d'habitude. Je n'ai donc pas envie d'entendre ce genre de gentillesses, et préfère me réfugier dans le silence.

Tous les week-ends, tous les étés, je travaille pour gagner de l'argent. Et aussi pour sortir la nuit, goûter à la liberté, et éviter la puanteur de cette demeure. Je travaille de plus en plus, et personne ne me dit rien. Personne ne me touche plus. C'est comme si je n'existais pas.

Je m'intègre très facilement dans cette école. Mes nouveaux professeurs mentent avec un aplomb dont je les remercie aujourd'hui encore, afin de se porter garants, pour que je puisse sortir après mes extra avec eux. Je me lève le matin, je pars à l'école en deux roues, j'y reste après les cours, je travaille le soir ou découche chez des copains. Au mieux – devrais-je dire « au pire » ? –, je passe huit à dix heures chez moi, en comptant les temps de sommeil. Des relations familiales ne subsistent, occasionnellement, que des discussions neutres. Je dois m'assumer seule dès maintenant. Ma mère ne m'aide en rien, parce qu'elle n'est ni maternelle, ni affectueuse, ni responsable, ni capable de voir avec d'autres yeux que ceux de son mari, incapable qu'elle est de le contrarier.

À plus forte raison est-elle incapable de prendre son téléphone pour demander son avis à mon père.

Mon départ approche. J'y pense et j'y repense, je m'en pourlèche d'avance. Je ne reste plus que pour mieux partir.

Je me lie avec un garçon – devrais-je dire un homme ? Quête du père, diront les imbéciles… Mais ses grands yeux bleus et sa bienveillance font que j'en tombe vraiment amoureuse, au bout de quelques mois. Une histoire d'amour sans ombre. Toute en harmonie. Nous sommes la fable du voisinage, les tourtereaux de Saint-Paul-de-Vence – pour tout le monde, sauf pour ma mère, qui exclut de son horizon mental cet homme et notre histoire. Et pourtant, je suis à deux doigts de déloger définitivement et de vivre avec lui.

Mais ma mère fait le maximum pour me faire rompre. Une guerre de tranchées, perdue d'avance. Nous nous voyons en cachette pendant plusieurs mois, et rien ne peut résister à des conditions aussi précaires. Notre histoire s'effiloche. J'ai du mal à me détacher de lui, j'ai l'impression de m'assécher en acceptant finalement cette rupture. Par la suite, il refait sa vie de son côté en devenant le père d'un petit garçon – dont j'aurais pu être la mère.

Je parlais rarement de mes histoires sentimentales. Ma mère était au courant, mais nous n'étions jamais d'accord sur le sujet, et elle n'admettait jamais que le petit ami qui lui plaisait à elle, et si possible pas à moi. Ma grand-mère Jackie me demandait parfois si j'avais une histoire sérieuse : j'avouais parfois, d'un simple signe de tête, mais uniquement quand la relation avait été durable, sincère – et qu'elle était close.

Mon père revint en tournée sur la Côte d'Azur à Antibes – Juan-les-Pins. Ma sœur et moi allâmes le voir, mais n'arrivions pas ensemble. Je n'avais pas une envie particulière de voir mon père – question de tempéraments, mais cette distance était aussi le fruit du bourrage de crâne des quinze dernières années, et de son indifférence à tout ce qui n'est pas lui. Aujourd'hui encore, il y a comme une glace entre lui et moi. Se rompra-t-elle un jour ? Je ne saurais le dire.

Mon père, séducteur né, a la capacité de lire sur le visage des femmes, toutes les femmes. Il les observe des pieds à la tête, sans qu'aucun détail lui échappe. Il en fit autant pour moi, lorsqu'il constata, légèrement stupéfait, que j'étais devenue une vraie jeune fille. Il me dévisagea sans rien dire.

Quand il ne dit rien, c'est que tout va bien.

Puis il y eut ce concert auquel il nous convia.

Il fait une chaleur épouvantable, ce jour-là. Et lorsque je vois ma sœur entrer habillée tout à fait hors saison, en noir et en bas résilles, j'ai du mal à la comprendre. Par cette canicule ? Quant à moi, je choisis de me vêtir simplement, de coton beige clair. Jeune fille de bonne famille.

Je dis bonjour à mon père, puis entame rapidement des discussions avec les musiciens à l'extérieur de la loge, en compagnie de Mado, son habilleuse de longue date. Une jeune et belle fille brune est dans un coin de la loge de l'artiste. J'ai pensé que c'était sa maîtresse du jour. Ravissante, sexy, et qui me prend pour une sacrée idiote.

— Bonjour, articule-t-elle du bout des dents.

— Bonjour. Je suis Cynthia. Sa fille…

Je ne suis pas du genre à jeter à la face des gens le nom de mon père. Mais si j'agis ainsi ce jour-là, c'est que cette poupée-là me parut une groupie de plus pour le repos du guerrier. Elle ne cherche pas seulement de l'argent, ou des cadeaux. Elle est affamée de reconnaissance. Elle veut entrer dans le cercle, appartenir au clan – supplanter toutes les autres. Elle fera le nécessaire pour l'obtenir. Peut-être… Mais elle aura du mal à le garder, mon héros-voyageur ! D'ailleurs, elle ne l'aura peut-être pas. Elle ne l'aura pas ! C'est décidé, je me l'approprie pour la soirée. Il est à moi, c'est mon bien.

Son « bonjour » de jalouse manque un peu d'ingénuité, ou d'hypocrisie. J'ai déréglé la belle mécanique de cette poule de faux luxe. Du coup, ses petites mines et ses empressements sonnent faux, à présent. Oh, elle aura bien assez de malice pour amadouer celui qu'elle veut posséder ce soir, mais pour combien de temps, ça, c'est une autre histoire…

D'autres jeunes femmes de l'équipe tentent aussi de faire amie-amie avec l'une ou l'autre des filles de l'artiste, pour mieux circonvenir le père, ultérieurement. Pas par voracité. Je le précise, car certaines d'entre elles ont une classe réelle – de grandes dames.

Mon paternel plaît partout – en tout cas, à presque toutes les femmes.

Mon père n'est pas au courant de mes virées *back stage*. C'est pour moi une manière de gagner mon indépendance. Je traîne, je m'intéresse à la conception du spectacle. Je me retrouve dans une salle vide et regarde les techniciens travailler, mêler et démêler les fils des consoles, régler les sons et la lumière du show. Où est-elle ? s'enquiert finalement mon père. Ma sœur est sagement assise dans sa loge, et moi j'erre en coulisses. Au fond d'un couloir, quelques photographes et des journalistes sont en train de boire un verre en attendant la représentation. L'un deux m'aperçoit, se rapproche de moi. Je biaise, j'évite, en me rappelant les demandes d'interview douteuses, que j'ai toujours repoussées.

Je croise notre chauffeur-garde du corps qui scrute mes faits et gestes. Son oreillette interne lui ordonne de me ramener. Il me fait part de l'ordre. OK, OK... Je contourne les stands comme si je connaissais les parages comme ma poche. Je prends deux briquets avec le sigle M.S., Michel Sardou, et la gueule de l'artiste, pour mes futures cigarettes. Je siffle un verre de jus d'orange, et je retourne enfin dans la loge de mon père.

Ma sœur lui raconte sa vie, moi je ne raconte rien.

Mon père est enragé – le stress du spectacle, ma conduite, ou dieu sait quoi... Toujours est-il que sa maquilleuse a intérêt à être au poil, ce soir. Je me sens bien, dans ces odeurs et ces teintes de coulisses. Je suis presque autonome, au cœur d'un événement musical. Presque, parce que je suis flanquée d'un garde du corps, ou deux, ou trois, qui surveillent mes faits et gestes à la minute, à la seconde, au mètre, au centimètre près. Encadrée d'une équipe de production, une dizaine de musiciens, des choristes, des maquilleurs et un public de cinq mille personnes minimum qui attend à l'extérieur des grilles depuis au moins deux heures.

Mais je suis bien, loin de cette maison qui pue l'ivresse rance, où l'on m'abreuve de coups et d'insultes, sans raison. Je suis bien, dans ce monde de strass et de paillettes, loin de l'austérité qui est mon lot journalier. Dire qu'il y en a qui pensent que je roule sur l'or ! La fille de Michel Sardou ! Avec ce que verse papa...

Mais ma pension alimentaire devait servir toujours d'abord à régler les impôts de l'autre faux derche, les impôts des membres de sa famille, ou la pension de son fils qu'il ne peut assumer seul. Elle paiera en outre les Vacances avec ma mère – ou avec l'une de ses conquêtes parisiennes. Mon père finance en sus, à la demande de ma mère, la chambre où je dors. Une chambre toute simple, mais dont le loyer est, à ce qu'elle dit, aussi élevé que celui d'un appartement de centre-ville. Il paraîtrait toutefois que je suis chez moi. Il semblerait que je sois très heureuse, n'est-ce pas, une jeune fille que l'on aime, que l'on chérit, et qui n'a pas à s'apitoyer sur elle-même. D'ailleurs elle ne se plaint pas. Jamais. Tout cela est si simple… Cette sardine-là vit parce que nous l'autorisons à vivre. Avec des peut-être. Des peut-être pas. Des on verra.

Elle ne voit rien. Elle ne s'est pas lamentée jusque-là. Elle sourit, vaille que vaille, elle rit jaune. Ou rouge. Le rouge grenat des joues d'une enfant punie parce qu'elle n'a pas su et ne sait pas ce que c'est que « trop jouer ». Mon enfance ? Des larmes qui coulent sur des joues empourprées.

De retour dans la loge. Mon père est à présent habillé, maquillé, prêt à bondir :

– Où étais-tu ? me lance-t-il sans aménité.

– Oh, par là, avec les techniciens… Je regardais comment se monte un spectacle…

– Écoute-moi bien, crache-t-il. Écoute-moi : si tu crois que je ne sais pas où tu vas… Si tu crois que je ne sais pas ce que tu fais ? Je sais absolument tout, ma fille !

Il ne lui manque plus que de jouer au père exemplaire !

– Mais j'étais là ! protesté-je. Juste là…

– C'est bon, me coupe-t-il. Fais attention à ce que je te dis.

– Oui, Papa. C'est entendu, Papa.

– Bien. C'est très bien, ma fille…

Ce héros globe-trotter est donc mon père ? Ce père avare de compliments, qui se lance dans un exercice de voix au piano, allume une cigarette, donne une dernière touche à son maquillage… Je regarde en douce le reflet du héros dans le miroir encadré d'ampoules, de photos, de télégrammes. Ma sœur pendant ce temps continue à babiller. Je me tais et je n'ai pas l'impression qu'il écoute. Il répond de manière évasive, mécanique. Il est déjà sur scène, dans sa tête, et je le comprends.

Il y a quelques années, on m'avait offert, pour un anniversaire, deux appareils photo. On m'en confisqua un tout de suite : « Tu n'as pas besoin de deux appareils, allons ! » Pourtant, un instinct sourd me disait que ces deux appareils avaient probablement des mécanismes différents, des particularités, des possibilités d'angles de vue différentes. Il en est de même de mon père. Celui que je vois de dos, et celui que j'observe en douce dans le miroir ne sont pas exactement le même homme.

Le spectacle, que j'aurais pu voir de la coulisse, j'ai préféré l'apprécier de la salle, perdue anonymement au milieu des spectateurs – et des spectatrices.

Joie équivoque d'écouter leurs commentaires. L'une apprécie la coupe du costume, la mimique, le jeu de scène. Telle autre aime la voix. Ou les textes. Mais sa voisine, au contraire, bondit intérieurement à certaines phrases. Spectatrices en transes, ou pleines de réserve. Hystériques, souvent. C'est donc cela, mon père ? Une machine parfaitement rodée à faire se pâmer les dames ? Le gendre idéal ? Un garde du corps doit se précipiter pour empêcher l'une d'elles d'escalader la scène. Ce serait du beau, de voir son père violé en public par des rombières !

Les hommes, souvent, restent assis, placides, à côté de leur femme. Ils laissent leur épouse se pâmer d'amour, en public, pour un autre – mais un autre inaccessible. Un concert, c'est de l'adultère contrôlé. Elles trompent leur jules de toutes leurs fibres avec la silhouette qui déambule, là-bas. Elles le trompent au vu et au su de tout le monde, puis rentrent chez elles, défoulées, rassurées, prêtes à le supporter encore quelques mois, quelques années. Les disques qu'elles achèteront, qu'elles écouteront dans les moments de blues, leur permettront de perpétuer l'étreinte imaginaire…

J'ai pensé à tout cela en accompagnant mon père et toute la production, après le spectacle, chez Pierrot, à Cannes. Assise dans mon coin. À regarder les flagorneurs de tout poil flatter la bête dans le sens du poil – et, première en flagornerie, la groupie de la nuit.

Entre le printemps et l'été, cette année-là, j'ai enchaîné deux hôtels de luxe à Cannes. Je voulais faire des économies, pour être plus indépendante en septembre, à ma prochaine rentrée. Je profitais de mes (rares) moments de loisir pour aller fureter du côté du Palais des Festivals. Les stars, je les voyais sous deux aspects : la face paillettes, lorsqu'elles avançaient sous les sunlights, et l'aspect casuel, dans leurs chambres, avec leurs manies, leurs exigences absurdes.

Par habitude, je tâchais d'éviter de servir des gens, journalistes ou autres, qui connaissaient mon père. Aucune envie d'apparaître dans un potin journalistique : « La fille de Michel Sardou serveuse au Carlton… » Non pas pour moi, mais pour lui, pour lui éviter ce qu'il appellerait probablement un déshonneur… D'ailleurs, je préférais me consacrer à des étrangers, des stars, des metteurs en scène, des scénaristes, des gens qui pouvaient m'apprendre, m'apporter quelque chose – et que j'interrogeais, l'air de rien. À en oublier mes autres clients. Si bien que ces personnages célèbres, flattés d'être l'objet de toutes mes attentions, finissaient souvent par demander à la direction que je sois à leur service exclusif. Et la direction me félicitait abondamment.

J'ai donc eu droit à toutes sortes de confidences, dans la mesure où, au fond, j'étais pour eux quantité négligeable. Ils m'ont raconté des choses qui auraient fait saliver les paparazzi qui guettaient à l'extérieur. J'écoutais, je buvais leurs paroles. L'univers du showbiz m'apparaissait sous toutes ses facettes. Jusque-là, je n'en avais connu que ce que me racontait Jackie, ma grand-mère – côté théâtre –, ou ce que j'avais vu dans les concerts de mon père – côté chanson. Cannes m'apportait le côté cinéma.

J'arrivais à sortir, dans mes temps libres. Plus je travaillais, plus je me sentais libre. J'ai eu un coup d'épuisement, mais j'étais à nouveau d'attaque après une nuit de sommeil. Je n'avais jamais été aussi bien – loin de l'homme qui régissait ma mère et sa maison. Libre.

On imagine d'autant mon désarroi quand, à la fin de l'été, il a fallu que je regagne le nid familial. L'ambiance est de plus en plus morose. Le Funeste a maintenant une double vie officielle : il a eu deux enfants à Paris, et il les amène en week-end avec lui – imposant les nourrissons de sa maîtresse à ma mère.

Et à sa belle-fille. Je n'avais pas de raison de rejeter deux mômes qui ne m'avaient rien fait – mais j'ai fortifié, dans cette situation baroque, ma décision de partir. Après tout, je suis majeure, à présent. Plus de quinze ans que j'endure le harcèlement moral de cet homme. Il ne me touchera plus, il ne haussera plus la voix en ma présence. Je me barre… Le problème, c'est que j'ai raté mon examen de deux points – deux misérables points qui m'interdisent de rester dans la même école. Alors, la solution est de m'inscrire dans une boîte privée, ailleurs, de préparer mon examen sérieusement, et de le passer en candidate libre.

Mon père, qui ne s'était jamais soucié un instant de ma scolarité, fait soudain acte d'autorité, en me proposant d'aller à Lausanne. Mais l'école suisse n'était que la doublure de ce que je venais de faire :

autant essayer d'approfondir mes connaissances. L'inscription à Lyon offrait bien plus de possibilités : du droit, de l'économie, des notions de gestion – comment ouvrir et gérer un restaurant, par exemple –, toutes sortes de choses utiles dans ma future profession, telle que je l'envisageais à l'époque.

J'ai tenté de lui expliquer cela au téléphone – mais il s'est emporté, il n'a rien écouté. « C'est nul. Tu es nulle ! » m'a-t-il lancé avant de raccrocher.

J'avais gagné de quoi m'inscrire, et de quoi vivre. J'ai trouvé une petite chambre à Lyon – rien de bien fabuleux, et il y a un poivrot qui fait un raffut d'enfer, certains soirs.

Je redescends parfois le week-end à Vence, ma mère est déprimée, déprimante, et mon beau-père tente de m'extorquer ce que j'ai d'argent – pour payer ses factures.

Impression de retomber toujours dans la même spirale. Mais c'est fini. Il ne m'aura plus.

Peut-être avais-je présumé de mes forces. Peut-être l'addition des cours, du travail, de la pression infernale de mes parents – je ne sais quoi, mais le fait est que deux mois plus tard, j'ai craqué. Que j'ai acheté assez de Lexomil pour sombrer.

Et qu'un alcoolique presque anonyme, sans le faire exprès, m'a ramenée à la surface de la vie.

C'est l'été suivant (je travaillais à la réception dans un hôtel proche de Toulon, chez des gens charmants, dans une atmosphère quasi familiale) que j'ai rencontré l'homme de ma vie, comme on dit lorsqu'on est encore une jeune fille sans trop d'expérience. Il travaillait dans un grand ministère, il était dans le secret des dieux. Un homme politique qui aujourd'hui encore est proche des plus hautes instances du pouvoir.

Il m'a incitée à partir, à remonter avec lui à Paris. Quitte à tout plaquer – y compris mon petit ami lyonnais.

Cet amour-passion fut alimenté d'abord par l'admiration que je vouais à cet homme. Il était sans cesse parti, pour des raisons professionnelles, mais restait présent avec quelques fleurs, de menues attentions –, quelques mois. Nos sentiments se sont délités doucement, sans que je m'en aperçoive. Mais il avait joué un rôle déterminant : celui de me convaincre d'avancer dans ma vie.

Lors d'un week-end à Paris, sur un coup de tête, je me suis présentée, mon CV sous le bras, pour un emploi. Et j'ai été prise.

Ce sera le premier hiver que je passerai ailleurs que dans le Midi. Loin de ma mère. J'ai fini mon contrat dans cet hôtel, je suis passée chercher mes affaires dans la maison de tous les malheurs, et à nous deux, Paris !

Ma grand-mère maternelle, « Malise », m'hébergera…

Mais quand je me suis pointée pour prendre mes vêtements, le piège était tendu. La scène a été répugnante – l'autre Funeste tentant de me récupérer, alternant les promesses et les coups de gueule – et moi ne supportant plus, pas un instant de plus, son haleine haineuse. Tant pis pour ma mère. Elle a dû réaliser, ce soir-là, combien cet homme était responsable de mon départ. Combien elle allait se retrouver confrontée à la solitude absolue – la même que celle qui avait été la mienne, durant toutes ces années.

À mon arrivée à Paris, je loge donc chez « Malise ». Plus tard, j'ai pris un petit appartement avec une amie. Je me suis organisée. J'ai prévu de revoir tous ceux que j'avais négligés, ces dernières années. À commencer par ma grand-mère.

Jackie ne s'est pas contentée des visites que je lui rendais. Elle voulait me voir dans mon cadre professionnel – mais je ne lui avais pas donné d'indication sur le restaurant où je travaillais. Du coup, la voilà qui s'est mise à arpenter tous les hauts lieux de la gastronomie parisienne, pour me dépister.

Et elle y est parvenue ! On n'arrêtait pas Jackie Sardou quand elle avait une idée dans la tête. Je l'ai vue entrer, à ma grande surprise. Elle est venue vers moi en souriant : « Où donc étais-tu passée ? Je t'ai cherchée chez tous les gargotiers de Paris ! Ça en fait, des repas pour rien ! Un de plus, et j'éclatais comme une outre ! »

Une nature, une vraie. Une gouaille inimitable. Dans l'heure qui a suivi, elle a contacté un ami restaurateur, et a menacé de faire sauter son restaurant s'il ne m'embauchait pas immédiatement.

Me voilà barmaid de l'un des restaurants les plus huppés de Paris. Pour le meilleur et pour le pire : j'y ai rencontré un homme avec lequel j'ai vécu deux ans et demi, un alcoolique dont je ne me suis séparée que le jour où il m'a laissée inconsciente, avec deux côtes fracturées contre le chambranle de sa fenêtre.

La sollicitude de Jackie ne s'arrêta pas là. Je quittai assez rapidement ce premier poste acquis par son entremise, et devins maître d'hôtel chez des particuliers – en l'occurrence Daniel Filipacchi. Savait-il, ne savait-il pas qui j'étais exactement ? Des Sardou, il y en a plein le Midi – la région de Toulon, particulièrement. En tout cas, il n'en laissa rien paraître.

Ma grand-mère me présenta à plusieurs personnes au sein de la Mairie de Paris, des journalistes, des organisateurs de spectacles ou de tournées. Par elle, je glissai dans le show-business. Je revis mon père brièvement, lui expliquai que je voulais travailler dans le monde du spectacle, et que c'était la moindre des choses qu'il me donne, au passage, un coup de main. Ça ne lui plaisait guère. Avec sa bonne humeur habituelle, il commença par me traiter de bonne à rien, pour m'introduire finalement dans le service de presse d'un événement musical qui se mettait en place : *Les Victoires de la Musique*. J'intégrai donc une équipe, et, de fil en aiguille, travaillai sur d'autres événements, pièces de théâtre ou émissions musicales, dont une, en direct, qui fut la dernière soirée avant fermeture de cette salle mythique qu'est l'ancien Olympia.

À partir de 1996, je travaillai au sein d'une équipe de production de divertissements pour une chaîne française. J'étais au service de la communication, où je m'occupais principalement des contacts avec la presse régionale –, tout en étant également sous les ordres d'un attaché de presse. L'équipe le surnommait le Coq, à cause de son attitude toujours hautaine.

Mon travail dans cette structure était passionnant. Je rencontrais beaucoup de monde, et je fonctionnais au sein d'une équipe hautement professionnelle – et attachante, par ailleurs. D'autres émissions, des magazines intégraient la production. Les enquêtes étaient réelles et utiles. Je me rendais à chaque enregistrement, même si l'entente avec le Coq n'était pas des plus agréables.

J'avais intégré les lieux un peu par hasard. La chaîne préparait une émission autour de mon père, et me demanda de lui faire une surprise. Jackie me poussa à m'exécuter : je chantai sur le plateau, en prime time, *Aujourd'hui peut-être ou alors demain*, un « tube », comme on ne disait pas à son époque, de mon grand-père Fernand Sardou. Et la chaîne m'intégra après cette « performance » au sein de sa structure de presse.

Par la suite, une société de production fit une émission spéciale sur Michel Sardou avec Jackie, émission à laquelle j'ai également participé – la dernière, puisque Jackie devait nous quitter le 4 avril 1998, quelques jours avant son anniversaire.

Deuxième partie

# Jackie

*18 septembre 2001*

Quelques jours après les attentats de New York et de Washington, je suis sur le point de me rendre en Californie. Ben Laden fait l'essentiel de l'actualité dans le monde. Voilà que l'Amérique, qui se croyait invincible, est à son tour confrontée à la terreur, comme le reste du monde. Pas une seule conversation qui n'évoque ces attentats, pas un seul média qui ne détaille les conséquences dramatiques de l'effondrement des tours jumelles de Manhattan.

Qui suis-je, face à ces événements gigantesques ?

Je veux partir de Paris. Toutes les heures, je m'informe des prochains départs, malgré le système aérien fermé. Mes proches me traitent d'inconsciente, compte tenu de la situation. Rien ne me fait changer d'avis. Je suis déterminée à y aller. Même si ces Vacances prévues depuis un mois n'ont plus aucun sens à ce jour, face à de tels drames humains. De mon projet de vacances je ferai un projet de boulot.

À cette époque, je travaille dans une chaîne d'informations en tant que jeune journaliste, et l'idée d'effectuer un reportage sur l'après-attentat occupe toutes mes pensées. Même s'il s'agit de la côte Ouest, même si les Américains font preuve d'une grande solidarité, je veux comprendre ce qu'ils vivent au jour le jour, voir, de mon point de vue, comment est perçu l'avenir. Bernard Zékri, directeur de la rédaction, un homme à la corpulence et à la personnalité puissantes, garde toujours une oreille attentive aux désirs de ses troupes. Son bureau, toujours ouvert, son tempérament calme, posé, malgré ses multiples charges, lui permettent d'avoir l'œil sur tout, l'œil à tout. J'ai un projet fiable : il m'écoute et me donne carte blanche. Cet encouragement me motive d'autant plus à partir. Sur place, un autre contact m'attend : le Consul de France.

18 septembre. Il est 3 heures du matin, mon vol est à 7 heures. L'aéroport de Paris, seule oasis de lumière dans la nuit de Roissy, dégage une atmosphère bizarre, presque lugubre. Les visages évoquent la peur. Les attentes sont longues, remplies d'angoisse. Les gens prennent d'assaut les téléphones fixes, par manque de réseau pour les portables. Tous les regards expriment l'appréhension d'un nouvel attentat.

8 heures. Assise dans un avion en pensant comme tout le monde à mon éventuelle disparition. En ces temps d'après-11 septembre, la psychose de l'attentat est perpétuelle. Peut-être est-ce mon heure… La vie m'a déjà réservé toutes sortes d'incongruités,

quelques franches déconvenues, et une poignée d'horreurs. Pas de quoi la regretter, ni éprouver une quelconque panique. Je réfléchis à l'angle d'attaque de mon sujet. Que pourrais-je apporter de nouveau à la rédaction ? Difficile. Les médias ont déjà tout dit. Je suis encore débutante, et je travaille avec mon matériel. La carte blanche de Zékri me laisse cependant toute liberté de m'exprimer. Autant prendre l'angle du contexte culturel – intemporel si possible.

Los Angeles. En arrivant, deux heures et demie de douanes pour commencer. Deuxième surprise : Elaine, une (vague) connaissance, doit m'accueillir, mais elle n'est pas à l'aéroport, et elle n'habite nulle part. Et c'est la seule personne que je connaisse dans cette ville tentaculaire ! Mais bon ! Je suis là. Rentrer tout de suite ? Franchement ridicule. Je suis ici pour une bonne raison. Mon reportage. Je dois revenir les mains pleines d'images et d'informations.

Le lendemain, je me rends au consulat de France, où l'accueil est des plus favorables. L'équipe du consulat me donne toutes les informations officielles, – encore qu'aucune déclaration ne soit possible, par ordre du ministère des Affaires étrangères français. D'autres personnes contactées par le consulat peuvent répondre à mes attentes. J'organise mon travail autour d'elles. Durant une semaine, je vis à mille à l'heure, je me rends sur tous les fronts, à toute heure.

Paul Holdengraber est à cette période directeur de l'Institut d'art et de cultures, le LACMA (Los Angeles

County Museum of art). Il m'explique l'état d'esprit de ses compatriotes californiens.

– L'État le plus cosmopolite des États-Unis, dont 80 % des habitants est constitué d'étrangers, reste très marqué par les récents événements sanglants. Sur le plan culturel, je dois dire que les médias qui ont été autorisés à parler des événements derniers, ont eu tendance à masquer la réalité et ont d'une certaine manière infantilisé le public.

« Il est vrai que le centre culturel international s'inquiète, sur les risques d'autocensure chez les programmateurs de concerts, de radio, ou encore des productions de World Music, à l'évidence celles d'origine arabe. Des apparitions d'artistes comme Khaled en duo avec Sting, ou Rachid Taha, à qui Los Angeles a fait un triomphe il y a quelques mois, sont impossibles aujourd'hui. Nous organisons dans cet institut des débats publics, dont le but est de retrouver ce dialogue interculturel.

Je continue mon enquête, obtiens un *pass* et me rends à un concert, afin d'obtenir d'autres images et quelques réactions d'artistes. Chaque concert, en ce début d'automne, est organisé pour obtenir des fonds pour les victimes des attentats. Mes journées sont trop courtes.

Elaine, finalement retrouvée, me présente Allan Jay Friedman.

Auteur, compositeur et écrivain. La soixantaine, de taille moyenne, un visage plein et un sourire enjôleur. Chez lui, la table de la salle à manger déborde de livres, de manuscrits et de factures impayées. Je soupçonne, derrière la simplicité de cet homme, une pensée complexe et intéressante. Il m'offre un café et sa compagnie. Je pose beaucoup de questions : quelle est la réaction d'un intellectuel ? Mon anglais ne serait pas mauvais, mais mon américain l'est réellement. Friedman parle très vite, articule peu, mais je comprends l'essentiel. Il me parle de lui, de ses livres, notamment des biographies, celles de la famille Kennedy, des Jackson – une vie riche et fascinante. Le jour même, il me convie à rencontrer une artiste-peintre du nom de Holly. D'origine française, américaine depuis plus de dix ans.

Elle vient de finir une peinture et se sent émotionnellement vidée. Elle regarde la télévision, qui restera en fond sonore et visuel durant toute l'interview. Les nouvelles sont toutes les mêmes, saturées de témoignages émouvants. L'Amérique sera absorbée par cet événement pendant très longtemps.

– Je te présente Cynthia, dit Allan.

– Bonjour… Cynthia, hein ? C'est un nom américain ! Pas très commun pour une Française.

La quarantaine. Cheveux châtains, longs et bouclés, lunettes noires. Elle me raconte son histoire, sa vie, comment son art se révèle et son point de vue d'artiste sur les événements.

Puis, sans transition, elle me propose, avant mon départ programmé pour la fin de la semaine, de m'emmener au lac Shrine, qui, comme son nom l'indique (*shrine*, en anglais, signifie « temple », « sanctuaire »), est un lieu de pèlerinages.

– C'est… angélique, affirme-t-elle. En tout cas, c'est pour moi un lieu magique. Une source d'inspiration permanente.

Les rues sont pleines de monde. Et la peur est effectivement partout. L'Amérique vit dans l'épouvante, les humeurs sont cyclothymiques dans un contexte pénible et un départ pour le Nevada approche.

Le lac Shrine est véritablement paradisiaque. Les plantes qui nous entourent semblent à peine réelles, dans un monde presque inexploré. Un monde vierge. D'un calme extraordinaire. Cette beauté idyllique est inentamée par la violence que le monde est en train de vivre. Rien n'est laid ici, rien n'exprime la douleur, la souffrance. *A perfect world*. Je regarde chaque arbre, chaque fleur, chaque pierre. Tout dit la vie. Le désir de vivre. Et la beauté.

Sur notre droite trois cygnes blancs valsent sur le lac. Je les regarde, à m'en crever les yeux. Il n'y a pas à réfléchir, il n'y a qu'à vénérer… Un peu plus loin sur ma gauche, un talus en pente. L'herbe paraît claire, étincelante, presque argentée. Des galets de pierre forment un petit chemin.

– On peut y aller ? demandai-je. Je peux m'y rendre ?

– Rien ne te l'interdit…

Au bout de cet itinéraire, j'aperçois une statue de pierre blanche, et m'installe au pied même de la sculpture. Mon bloc-notes à la main, je contemple le lac et ses alentours. Sérénité. Je ferme les yeux, m'abandonne complètement au silence. Je fais le vide.

Harmonie. Totale harmonie.

Finalement, je reviens au monde. Je prends mon bloc-notes, j'écris quelques lignes. Holly m'attend, et je la rejoins.

– Tu avais l'air bien loin…

Je la regarde sans répondre.

Dans un café, juste avant de reprendre mon prochain vol.

– J'ai écrit quelque chose, mais je ne sais pas vraiment quoi !

C'est bien pratique qu'elle soit française d'origine.

– « Tu te libéreras, lit-elle. Pense que l'amour est un don qui est à la portée de tous – seulement, les gens ne le voient pas. Toi, tu peux le voir et le ressentir. Libre à toi de faire ce que tu veux, de dire ce que tu veux. Si tu penses ainsi, tu auras tout. Nous te guidons et si tu te sens seule, dis-toi que tu es entourée de lumière. Ne sois pas égoïste avec toi-même. Les autres, c'est bien, mais pense à toi. Les choses viendront d'elles-mêmes, n'oublie pas de vivre le moment présent et ne cherche rien. Fais-le ! »

« Nous t'aimons d'un amour inconditionnel… »

Fin de la première page. Holly lève les yeux de la page griffonnée.

– C'est fou, ce que tu as écrit. Je ne sais même pas le sens que ça peut avoir… Mais c'est très beau.

– J'ai vraiment écrit ça ? Mais qu'est-ce que ça veut dire ? Je n'ai jamais écrit de la sorte auparavant ! J'étais… dans une sorte de transe.

– Il n'y a rien à ajouter à ça, dit-elle. Ou plutôt, si, le message est très clair.

– Vraiment ? Et que dois-je comprendre ?

– C'est évident. Il est évident que tu as reçu un message, qui vient d'ailleurs, un message universel.

– Ce sont des bêtises ! Et puis j'ai mon vol pour Las Vegas qui m'attend…

Las Vegas et ses casinos, ses machines à sous, l'île de lumière, le havre du business et du spectacle. Dans un environnement totalement superficiel. Norbert, mon parrain, m'attend à l'aéroport. Il m'explique que cet archipel de néons a également subi de nombreux déboires, suite à la crise économique qui a commencé en 2000. Wall Street chute toutes les heures, et les casinos, parmi toutes les autres entreprises de divertissement, licencient en masse. L'île du jeu perd à son tour. J'envisage illico un autre angle de mon reportage, lié à cette crise économique. Le soir même, je braque ma caméra sur les rues de Las Vegas, les enseignes les plus touchées. Je filme les shows, les jambes des girls, les mains anonymes insérant des pièces dans des machines. J'élabore mentalement des séquences complètes du futur commentaire, bien avant mon retour à Paris. Dans l'avion, j'échafaude des plans sur la comète – un montage ambitieux de mes images, et une rentrée professionnelle fracassante.

En rentrant dans mon appartement parisien, je retrouve mes réflexes de célibataire. J'allume ma chaîne stéréo, la lumière ensuite, et prends une douche. Le soir même, je veux revoir les images filmées en Californie, les images dont j'avais visionné les rushes dans ma chambre d'hôtel américaine, des images impeccables, un reportage en béton…

Et je constate qu'elles ont disparu. Rien. *Nada.* De la neige sur l'écran.

Je triture la caméra dans tous les sens, j'essaie tous les boutons, avant de comprendre que les rayons X de la douane ont effacé tout mon travail.

Folle de rage. Toute cette énergie investie… Tous mes espoirs ruinés… Je suis effondrée dans un fauteuil, le moral en berne. Inconsolable. Je pense à la rédaction, à mes supérieurs, à tout. Et la crise de larmes qui suit ne me fait aucun bien.

Plus tard dans la soirée, je reprends mon bloc-notes du lac Shrine et me remets à lire la suite de mes écrits accidentels.

« Ta vie va changer très vite, plus vite que tu ne le penses. De grandes choses t'attendent. Il fallait que tu viennes ici, au Lac Shrine. Le plus beau reste à venir. L'amour sera présent à chaque fois que tu le demanderas et cela t'aidera à avancer plus vite. Le bonheur t'attend. Ne penses-tu pas que les gens qui t'ont fait ou te font du mal sont en manque d'amour ? Alors donne-leur de la compassion et aime-les. Reste telle que tu es, continue ton chemin, tu es sur la bonne voie. »

Phénomène d'autosuggestion, ou vision réelle… En m'absorbant dans ces quelques lignes, aveuglément, je vois – et je jure que je la vois comme si elle était là, devant moi, vivante – l'image de ma grand-mère paternelle, Jackie, apparaître.

Un fantôme flou, qui s'estompe…

Le bonheur ? Qu'est ce que ce mot peut bien vouloir dire ? Donner de la compassion ? Les blessures sont encore trop vives. Trop présentes.

Je continue à déchiffrer – et le mot est plus exact que lire, parce que c'est à peine si je reconnais mon écriture. Quelqu'un s'est servi de ma main.

« À Paris, ton retour sera parfait. Tu ne manqueras de rien. Tu auras l'inspiration pour d'autres sujets et tu vas bientôt partir. Tu dois accomplir une dernière chose avant, et ton chemin sera ailleurs ensuite. »

Partir où ? Je suis très bien ici. Où veulent-ils que j'aille ? J'ai une vie ici, après tout. J'aime mon métier… Et puis tout ça, c'est des sottises, ma vie se porte très bien !

Deuxième apparition de Jackie, plus nette que la première fois. Un trouble profond. Je suis toujours assise dans mon fauteuil, la lumière toujours allumée, la radio marche en sourdine.

– Mamie ? C'est toi ? Mamie, si c'est toi, je veux le savoir maintenant !

L'instant suivant, l'ampoule de la lampe du salon éclate, et je me retrouve dans le noir, anéantie.

Je m'arrache à mon fauteuil, j'allume la lumière de l'entrée, je prends mon courage à deux mains. « Je suis folle, dis-je à voix haute, je suis en train de devenir folle. » Et malgré ma trouille, je prononce de nouveau son prénom à haute voix.

– Jackie ? Mamie ! C'est vraiment toi ? Non…
Parce que si c'est le cas, si je suis vraiment déséquili-
brée, je préfère être très vite fixée, ça m'évitera de
perdre du temps !

Cinq secondes plus tard, la radio diffuse *La Fille
aux yeux clairs* – cette chanson où Michel Sardou
parle, si bien, de sa mère.

Effarant.

Figée à mon siège, j'écoute la chanson attentivement.

Un blanc, très court. Puis la voix du présentateur.

– *La Fille aux yeux clairs*, une chanson interprétée
par Michel Sardou, une chanson spécialement dédiée
à sa mère Jackie Rollin-Sardou, décédée depuis un
peu plus de quatre ans aujourd'hui.


Ma mémoire fait un bond en arrière de quatre ans
(1998).

Le matin du départ de Jackie, le téléphone sonne à
mon bureau. Et tout à trac, ma grand-mère m'interpelle :

– Dis-moi ! Tu n'aurais pas mon double de clés
par hasard ?

– Non ! Je pensais que c'était la femme de maison
qui les avait, ou la dame de compagnie.

– Je ne sais pas. Je n'arrive pas à remettre la main
dessus. C'est quand même quelque chose ! J'ai passé
des heures à les chercher !

– Ne t'inquiète pas mamie, tu vas les retrouver…

– Tu viendras me voir ce soir ?

– Je vais essayer de venir, mais tu sais, je risque de finir ici relativement tard. Tu seras peut-être couchée à cette heure-ci.

– Viens dîner si tu veux !

– Je te tiendrai au courant. Je t'appelle dès que j'ai fini. Ça te va ? Bon, mamie, je te laisse, j'ai du travail par-dessus la tête.

– Je t'embrasse, ma petite chérie. À plus tard, hein... Je t'embrasse très très fort.

Ce soir-là, j'ai effectivement terminé mon travail vers 9 heures, 9 h 30, et j'ai oublié de la rappeler. Je suis rentrée, je me suis déshabillée, j'étais lasse. J'ai grignoté quelque chose, et j'ai appelé un ami.

J'étais en ligne, sans savoir ce qui se passait, là-bas, dans un appartement que je connaissais bien...

Je viens à peine de raccrocher que le téléphone sonne dans le studio. Au moment où j'enfile mon manteau.

– Mademoiselle, mademoiselle ! (La voix paniquée de Sadia, la dame de compagnie de Jackie.) Il faut venir tout de suite chez votre grand-mère !

– Mais que se passe-t-il ?

– Votre grand-mère a fait un malaise... Vous devez venir vite.

Je raccroche immédiatement, je saute dans un jean, je me fais un chignon en bataille avec un stylo, je descends à toute allure l'escalier en colimaçon, je fonce au parking, et monte dans ma voiture à toute vitesse.

Je roule, en serrant le volant de toutes mes forces. Quelque chose de grave est en train d'arriver. Sans même m'en rendre compte, j'appuie sévèrement sur le champignon.

Je crois bien que je grille un feu rouge, et pas mal de priorités. La priorité, la seule, elle est là-bas.

Habituellement, à chaque fois que j'allais visiter ma grand-mère, il n'y avait jamais de place pour me garer, et je tournais un quart d'heure en pestant, comme tous les automobilistes parisiens. Et ce soir, il y a une place libre, juste au pied de son immeuble. Mauvais signe. Une ambulance et une voiture de pompiers sont déjà sur place, les gyrophares bleus tournent à vide, balayant l'avenue d'une lueur bizarre. Je fonce tête baissée. Mon Dieu, et cet ascenseur qui n'arrive pas ! Insoutenable.

Une fois à l'intérieur, l'angoisse. Le miroir, à côté des numéros des étages, me renvoie l'image affolée d'une petite fille – je me sens redevenue petite fille, sujette à toutes les terreurs – qui monte, si lentement, trop lentement… Vers quoi ? J'envisage le pire.

À l'entrée de l'appartement, des policiers me demandent qui je suis. Je les bouscule, sans répondre, je me dirige vers la chambre de ma grand-mère. Un médecin du SAMU est déjà auprès d'elle. Elle est allongée sur le sol. Presque inanimée. Je m'agenouille près d'elle, je lui prends la main en pleurant, je la serre de toutes mes forces, je tente de faire passer tout ce que j'ai de vie et d'énergie en elle pour la ressusciter…

En vain. Son œdème l'a déjà emportée.

Je sanglote, je ne veux pas, je ne réalise pas, je refuse d'admettre qu'elle soit morte. Morte ! Est-ce que le mot a un sens, quand il s'agit de quelqu'un que l'on aime ?

– C'est fini, mademoiselle, murmure le médecin en me prenant par le bras pour me relever. Il n'y a plus rien à faire.

– Essayez ! Essayez encore ! Elle n'est pas partie...

Je regarde ma grand-mère. Elle a les paupières à demi-ouvertes. Comme si elle était en train de se réveiller.

– Reste avec nous, mamie, reste-là ! Ne pars pas ! Tu es forte. Tu vas pas me laisser tomber maintenant...

Elle est étendue par terre, des tuyaux dans le nez. Je la secoue par le bras. Je crois que c'est à ce moment-là que j'ai compris vraiment qu'elle n'était plus parmi nous.

Je me suis relevée avec difficulté. J'étais entourée d'un cercle de pompiers, qui me regardaient d'un air désolé. Les pompiers, les flics, les toubibs... C'était trop, j'ai voulu soudain que tout le monde sorte. Je ne voulais plus personne dans cette pièce. J'étouffais. Je suis sortie de la chambre. Sadia ne s'était pas rendue compte de la gravité de la situation. Quand elle a compris, elle s'est évanouie.

Les médecins se sont occupés d'elle, l'un d'eux m'a donné un calmant pour me détendre. Rien à faire. La chose que j'appréhendais le plus, c'était de devoir annoncer à mon père que sa mère était morte.

Il était ce soir-là en tournée dans une ville de province – à Avignon.

J'ai grappillé quelques minutes sur ce coup de fil que je devais donner, que je n'arrivais pas à donner. J'ai demandé aux pompiers et aux médecins du SAMU de me laisser seule auprès de Jackie. Pendant que j'étais à côté, ils l'avaient allongée sur son lit. Comme si elle dormait. Je voulais lui dire au revoir – seule. Me remémorer le son de sa voix, notre conversation de ce matin même. Quels étaient ses derniers mots ? « Je t'embrasse très très fort. »

– Moi aussi, mamie, je t'embrasse très fort, ai-je murmuré.

Je suis restée assez longtemps accroupie à côté d'elle, les yeux fermés. Pour mieux la voir. Fixer une image mentale. Elle était encore là, je la sentais présente, dans la chambre, comme si rien ne s'était passé. J'ai essayé de ne plus pleurer. J'avais une barre en travers du ventre. Impossible d'avaler ma salive. Et il me fallait retrouver mon sang-froid pour annoncer la nouvelle à son fils. Michel.

J'ai appelé Avignon.

– Je voudrais parler à Michel Sardou, s'il vous plaît, c'est urgent…

Avais-je mis assez d'urgence dans ma voix ? Le réceptionniste de nuit a eu très envie de m'envoyer balader.

– Mais qui êtes-vous, madame ?

– Je suis sa fille. Vite. S'il vous plaît. C'est urgent.

– C'est une blague, a-t-il affirmé.

Il allait raccrocher.

– J'ai pas le temps de faire des blagues, monsieur. Alors, vous allez me passer mon père immédiatement.

– Bon… Ne quittez pas.

Musique sirupeuse d'ambiance. Tout à fait ce qu'il me fallait !

– Votre père me demande laquelle des deux filles êtes-vous ?

C'est tout lui ! Pourquoi demander ? Si c'était ma sœur aînée, il ne la prendrait pas au téléphone ?

– Vous lui dites que c'est Cynthia. S'il vous plaît !

– Oui ? Allô ? Que se passe-t-il ? (Voix particulièrement bougonne. Je dérange.) Pourquoi m'appelles-tu à une heure pareille ?

J'ai éclaté en sanglots. Ce ton de réprimande était la goutte d'eau en trop.

– Écoute, papa, mamie vient de nous quitter. Elle vient de partir…

Un long silence au téléphone.

– Tu es là ?

– Tu permets que j'encaisse le coup ? Je viens de perdre ma mère, au cas où tu l'aurais oublié !

Sardou est tout à fait du genre à faire tuer le messager des mauvaises nouvelles ! J'attends. Un autre blanc.

– Que s'est-il passé ? demande-t-il enfin.

– Elle a fait un malaise. Sadia m'a appelée, je suis arrivée aussi vite que j'ai pu, mais il était trop tard. Il n'y avait plus rien à faire.

– Et là, elle est où ?

– Elle est sur son lit, dans sa chambre.

– Écoute-moi bien. Tu sais ce que tu vas faire ? Tu vas fermer la chambre, mettre le chauffage et…

– Non, justement, il vaut mieux éteindre le chauffage…

– Oui, c'est vrai, tu as raison. Qui est là, dans l'appartement ?

– Les pompiers… J'ai jeté un coup d'œil. Et les pompes funèbres. Je les ai appelées. Mais il y a beaucoup trop de monde ici, ça me met la pression. Ma voix a légèrement craqué. J'en ai marre de voir tous ces gens qui n'ont plus rien à faire ici.

– Passe-moi quelqu'un, tout de suite !

J'ai tendu le combiné au représentant des pompes funèbres. Je l'ai regardé qui écoutait. Il prenait un air peiné. Je pouvais suivre la conversation sans entendre, rien qu'à voir son visage. Il m'a enfin rendu l'appareil. J'entendais encore mon père vociférer. L'homme s'est tourné vers moi.

– On ne peut pas dire que votre père soit des plus agréables…

Je tenais le combiné contre ma poitrine.

– Messieurs, ai-je lancé, je suis vraiment navrée que vous le preniez mal. Mais vous pouvez comprendre que lorsqu'on perd un parent, il y a de quoi être dans tous ses états, non ? C'est peut-être une habitude pour vous. Un boulot. Mais pas pour nous.

– Tel père, telle fille, hein ? a murmuré l'un d'eux.

– Vous pouvez bien penser ce que vous voulez !

J'ai remis l'appareil à l'oreille.

– Tu ne veux pas rentrer chez toi ? Tu n'as pas un petit ami qui pourrait te soutenir ?

– Je ne veux pas rentrer, pas à cette heure. Je préfère rester ici.

– Je serai à Paris demain dans l'après-midi. Tu prendras des affaires, on partira ensemble en tournée. Je te rappelle de toute façon !

Après, les coups de fils ont commencé à pleuvoir, après l'annonce du décès à la radio. J'étais dans un état déplorable, mais je me sentais forte, en même temps, sans savoir pourquoi, comme si je venais d'hériter du dynamisme de Jackie. Le téléphone sonnait, sonnait… La journée allait être longue et difficile. Je devais m'occuper de tous les papiers, faire la déclaration du décès. Les heures ont passé. Je tombais en digue-digue. Je n'avais rien avalé depuis l'avant-veille.

De retour dans mon studio, j'ai préparé mes affaires rapidement, j'ai pris une douche, je me suis frottée à m'écorcher.

À mon retour, mon père était déjà chez sa mère. Il est sorti de la chambre, quand je suis entrée dans l'appartement.

– Tu as eu beaucoup de courage, m'a-t-il dit.

Les pompes funèbres sont arrivées. Nous avons été bombardés de questions techniques – choisir un cercueil, des vêtements… J'ai sélectionné une robe, et des petits chaussons. J'ai demandé au croque-mort qu'on la maquille et qu'on la parfume.

Derrière son masque de petite boulotte rigolote, Jackie était une femme très coquette. Je savais exactement où se trouvaient toutes ses affaires. Quand j'étais chez elle, dès qu'elle avait besoin d'un accessoire personnel ou d'un médicament, elle me le demandait afin d'éviter les déplacements. Dans ses placards, dans ses tiroirs, des manies de petite vieille, des fiches mémoire où elle notait de mini-biographies d'acteurs, d'auteurs et de metteurs en scène. J'étais sa confidente, elle me racontait sa vie, celle de son mari, Fernand Sardou –, et celle de son fils, la plus belle réussite de sa vie, disait-elle. Elle dévalorisait volontiers ses succès pour mettre en valeur son rejeton.

Il y avait eu une période où je travaillais tout près de chez elle aux *Victoires de la Musique*. Je déjeunais avec elle dès que je le pouvais. À l'époque, Jackie préparait un rôle pour une pièce qui s'intitulait *Le Clan des Veuves*. Trois copines inséparables, dont deux veuves –, et la troisième le devenait par l'intermédiaire d'une chasse d'eau. Assez inattendu, mais très drôle. Malgré son âge, elle se battait pour ne pas perdre la mémoire. Et surtout, ne pas décevoir son fils.

Son départ m'attristait terriblement. Son intelligence, sa vivacité me manquaient déjà. Avec Jackie, on ne s'ennuyait jamais. Les jours où je venais la voir, j'avais droit aux potins du Tout-Paris. Nous étions très volubiles toutes les deux, mais quand, parfois, le silence s'installait entre nous, nous nous sentions aussi bien. En communion.

Les moments les plus bouffons restaient ses performances théâtrales. L'équipe du *Clan* était stupéfiante, et parfaitement rodée. Ginette Garcin, coauteur et comédienne, donnait la réplique à Jackie. C'était l'une et l'autre des chipies, des personnalités volcaniques, et elles se prenaient aux cheveux régulièrement.

Une heure avant le spectacle, rituellement, Jackie était dans sa loge en train de se reposer avec la petite Iris, son Yorkshire, qu'elle ne quittait jamais. Je rentrais subrepticement, je la regardais dormir, et j'attendais qu'elle se réveille.

Elle émergeait d'un coup, immédiatement alerte.

– Pourquoi ne m'as-tu pas réveillée ?

– Mamie, tu vas jouer ce soir, tu joues tous les soirs, tu as bien le droit de faire un somme…

– Ça ! Tu as raison, j'suis crevée. Et puis Ginette, elle me casse les pieds en ce moment. Si tu l'écoutes, c'est grâce à elle que la pièce tient. Merci à toute l'équipe, oui, et pas uniquement à elle. Et puis alors, elle m'énerve !

En fait, elle s'énervait toute seule. Je crois que ça l'aidait à se mettre dans le ton de la pièce. C'était son échauffement, sa gymnastique, ce prétendu énervement. Et de son côté, je suis bien sûre que Ginette faisait de même.

– Si tu l'écoutes, reprenait-elle, il n'y a qu'elle qui a des problèmes. Et c'est elle la vedette ! Je ne sais pas si j'en suis une, moi, nom d'une pipe, mais qu'elle la ferme un peu ! J'en ai ras la casquette de la supporter !

Les spectateurs voulaient rire : Jackie Rollin-Sardou était là pour ça, pour faire rire. Elle se plaignait à longueur de temps, râlait, braillait avant de monter sur scène… Une fois sur les planches, elle brillait de générosité, elle jouait juste – dans l'excès. Elle tenait la pièce du début à la fin, formidablement, à bout de bras. Les gens se déplaçaient, tous les soirs, depuis cinq ans, dans le même théâtre, pour lui voir faire son numéro impayable.

La petite grosse, c'était elle. Elle s'inventait des milliers de régimes, les démarrait tous les lundis, les abandonnait en milieu de semaine. Difficile de suivre un régime (et pour quoi faire, mon Dieu !) quand on sort régulièrement au restaurant avec ses copines – et que le restau, c'est Lipp et sa choucroute ! « Ma cantine », disait-elle. Lipp en tout cas ne pouvait l'ignorer : quand sa tignasse rousse se pointait à l'entrée, tout le restaurant était instantanément au courant que Jackie Sardou venait dîner.

Elle avait une gouaille qui déménageait sévèrement. « Salut mes chéris. Tu as une table pour cinq ? Attention ! J'ai mes petites-filles et mes copines ! » Elle se mettait toujours à la même table, avec vue sur l'entrée –, elle voulait tout savoir des allées et venues du Tout-Paris. Des gens s'installaient à une autre table, lui souriaient, elle répondait d'un signe de tête, sans toujours reconnaître les personnes. Et l'air de rien, tout en se tartinant, sur des tranches de pain grillé, d'épaisses couches de beurre, elle attrapait un serveur par la manche. « Dis-moi, mon chéri… Qui est-ce ? J'ai la mémoire qui flanche, j'm'souviens plus très bien… »

Une fois mise au parfum, il lui arrivait d'inviter l'arrivant à sa table.

Chaque été, comme je l'ai raconté plus haut, elle venait dans le sud de la France, à Cannes, avec ses ami(e)s. Elle y avait acheté un appartement, qu'elle louait le reste de l'année. Quand je travaillais en saison à Cannes, j'allais la rejoindre à la plage, l'après-midi.

Une année, elle passait ses matinées à raconter des histoires drôles dans une radio locale, en portant des lunettes de soleil en guise de pub avec un look complètement loufoque. Puis elle fit la réclame d'un produit dentaire, à mourir de rire, me balançant : « Ah, c'est la meilleure affaire de ma vie, c'est quand ils veulent, les mecs ! » Le soir, elle jouait aux cartes avec certaines de ses camarades, et n'hésitait pas à demander à la cantonade : « T'as pas une blague à me raconter, non ? Parce que je dois en balancer des tonnes à l'antenne, tout l'été. Alors ? Demandons, demandons ! Et puis, ça me fait bouffer, en attendant ma prochaine pièce… »

Durant les vacances scolaires d'été, je travaillais dans un hôtel-restaurant de Saint-Paul-de-Vence, La Colombe d'or. Il accueillait les plus grands artistes de ce monde, César, Picasso, Prévert, et Montand. C'était un vrai musée. La tradition de la maison voulait que chacun d'eux réglât un jour ou l'autre son séjour qui par une sculpture, qui par une peinture – ou des poèmes.

Je préparais les quelques tables. Philippo, le maître d'hôtel, s'approche de moi. C'était un Espagnol d'opérette, bien sûr, avec fautes de français garanties, roulements des r, allure apprêtée, et cheveux plaqués à la gomina.

– Ta grand-mère ba benir dîner cé soirr ?

On aurait cru entendre le général Alcazar cher à Tintin.

– Oui, justement je voulais vous en parler. Elle voudrait aussi que je m'occupe d'elle, à sa table.

– Yé né crrrois pas qué cé sérait oun bonné idée.

– Si je peux me permettre, Philippo, connaissant ma grand-mère, si je ne m'occupe pas d'elle, elle va faire un scandale dans tout le restaurant…

– Ma non, né bous inquiétez pas, yé préfère bou mettre dans oun rang où vous connaissez déjà bien less clientés. Votre grand-mère, vous poubez la boir quand vous boulez.

Hum ! Mais il était prévenu.

Au dîner, toute l'équipe de La Colombe se moquait de la conversation que j'avais eue avec Philippo, et de ses intonations. Ma grand-mère, qui n'était pas toujours discrète, ce soir-là, s'était pomponnée. Vêtue d'une petite robe blanche, le sourire aux lèvres, elle me regarda venir vers elle.

– Tout va bien, ma petite chérie ?

J'avais décidé de ne rien dire. À Philippo de régler le problème.

– Mamie. Je vais t'installer à ta table…

Ma grand-mère était ravissante dans sa coiffe rousse. Son rouge fétiche rose fuchsia sur ses lèvres pulpeuses. Ses petites mains rondes serraient la main des propriétaires et des quelques copains qu'elle retrouvait sur place.

J'ai continué à surveiller sa table, du coin de l'œil, tout en m'occupant de mon rang.

– Madame, dit très poliment Lionel, le serveur, vous avez fait votre choix ?

– Hmm… Où est ma petite-fille ?

– À l'autre bout de la salle, Madame.

Immédiatement, le ton est monté.

– Mais qu'est-ce que je me fiche qu'elle soit à l'autre bout de la salle ! Appelez-moi le directeur…

Et Philippo de se pointer dare-dare.

– Je veux que ma petite-fille soit près de moi, MONSIEUR. C'est pour elle que je suis ici, et pas pour vous, MONSIEUR…

Il y avait dans son MONSIEUR une tonalité sarcastique qui n'échappa pas à Philippo. Mais en vrai hidalgo, il ne pouvait reculer.

– Yé souis désolé, madamé, mais Cynthia est dans oune autre rang, et il est un peu tard pour changé lé fonctionnémenté dé la salle…

Assez content de lui… La réplique jaillit, cinglante. Articulée avec un coffre étonnant chez une si petite femme.

– Me racontez pas d'histoire, MONSIEUR. Ma petite-fille vous a prévenu bien avant ma venue. Vous êtes le seul responsable. Alors, ne me dites pas que MA petite-fille est à l'origine de ce problème. Si MA petite-fille ne revient pas immédiatement, je repars sur-le-champ. Et puis… je veux voir les propriétaires tout de suite.

Tous les clients de la salle s'étaient retournés. Je me suis éclipsée en cuisine. François Roux, le propriétaire du restaurant, a fini par comprendre, et a demandé – fermement – au maître d'hôtel de me changer de rang. Ma grand-mère était aux anges : elle avait eu ce qu'elle voulait.

Je ne veux pas que ces souvenirs épars ressemblent trop à une notice nécrologique. Mais il faut savoir qu'elle n'était pas seulement une grand-mère truculente. Speakerine, organisatrice de spectacles, mais surtout danseuse, chanteuse, actrice et comédienne, Jackie Rollin-Sardou avait commencé par le cabaret, au Liberty's où elle est restée dix-sept ans.

Au théâtre, elle interpréta des opérettes, le genre alors le plus populaire – *On a volé une étoile, Un de la Canebière, Au pays du soleil, Baratin, Nuits aux Baléares.*

Au cinéma, elle n'a pas fait que des chefs-d'œuvre, mais rien dont elle dût rougir. (*Si ça peut vous faire plaisir* en 1948, *Meurtres* en 1950, *Nous irons à Monte-Carlo* en 1951, *L'Appel du destin* en 1952, *Le Printemps, l'Automne et l'Amour* en 1954, *Monsieur La Caille, Je suis un sentimental, Quatre jours à Paris, Paris coquin* en 1955, *Fric-frac en dentelles, Que les hommes sont bêtes* en 1956, *Le Chômeur de Clochemerle, Le Désert de Pigalle* en 1957, *Prisons de femmes* en 1958.) Elle a également joué au côté de Bourvil dans *Le Mur de l'Atlantique*, a interprété le rôle de la mère de Jerry Lewis dans *Par où t'es rentrée, on t'a pas vue sortir ?* Elle fut la *Féfée de Broadway*.

Bien sûr, elle excellait dans les opérettes ou théâtre de boulevard. Mais on n'hésita pas à avoir recours à elle pour interpréter Bélise dans *Les Femmes savantes* de Molière, et elle connut l'un de ses plus grands triomphes avec *N'écoutez pas, Mesdames*, de Sacha Guitry.

Elle se retrouva par la suite à La Belle Époque, pour la reprise d'un tour de chant au cabaret – son public se rappelle sans doute son interprétation mémorable de *La Gravosse*, car elle savait rire d'elle-même, et pour finir elle a chanté Gabin.

Retour à ces jours tragiques de 1998.

Mon père et moi partîmes l'après-midi même à Nancy, où il devait donner un concert dans la soirée. Il était hors de question d'annuler. Dans la famille, rien ne doit arrêter un artiste. Mon père se devait de respecter la tradition familiale – d'autant plus que sa mère était morte.

Dans l'avion qui nous emmenait à Nancy, nous restions presque muets. Des banalités, qui, pour une fois, étaient chargées de sens.

– Tu veux un café ?

– Oui, merci.

– Il y a des petits gâteaux et des chocolats !

Je n'arrivais même plus à dire non. Je me contentais de secouer la tête.

– Mais tu n'as rien mangé depuis presque deux jours.

– Plus tard… Mais là, je ne peux pas.

Nous arrivâmes à l'hôtel. Iris, la petite chienne de ma grand-mère, ne me quittait pas, pétrifiée.

19 heures tapantes. Les répétitions et la balance venaient juste de se terminer. Je vis les musiciens sortir des coulisses.

Michel Gaucher, Kako, Freddy, Hugo, les frères Constantin faisaient partie de la famille. Ils tentèrent en vain de me décrocher un sourire. Je broyais des idées noires. Je vadrouillais dans les alentours. Je me rappelle m'être retrouvée assise sur la scène vide, une cigarette à la main, à regarder l'immense salle déserte.

Un technicien règle les derniers préparatifs avant le spectacle. Je me lève, sors de la scène, et retourne dans la loge de mon père, qui tient un double scotch sec dans la main gauche. De l'autre, une cigarette. La pression commence à monter. Il stresse. Le producteur rentre dans la pièce.

– Michel, ça va être bientôt à toi. Disons dans une demi-heure…

– Ça va, ça va… Ah ! J'oubliais, tu accompagneras ma fille au retour du son, derrière la scène. Je veux la voir pendant le spectacle.

– Comme tu veux, Michel. Il sort aussitôt. Entre la maquilleuse.

Michel se retourne vers moi :

– Tu devrais te faire maquiller, tu as encore des plaques rouges sur le visage. Il serait bon qu'elles s'estompent. Des journalistes vont arriver d'une minute à l'autre.

Quand ils sont effectivement entrés, un quart d'heure plus tard, j'étais encore devant le miroir, en train de me faire maquiller.

– Installez-vous, leur a lancé mon père. Vous voulez boire quelque chose ?

– Non, merci, ça ira, ont-ils répondu tous deux en chœur.

– Alors, on se revoit tout à l'heure. Je voudrais rester seul, avant le spectacle.

– Bien sûr, à tout à l'heure.

Un régisseur passe la tête à la porte.

– Cinq minutes. Plus que cinq minutes. Le spectacle commence dans cinq minutes.

Il était temps pour moi d'y aller. Je me suis retournée vers mon père, nous nous sommes regardés, et l'instant suivant j'ai rejoint les coulisses. On entendait déjà le public. Une grande vague, une grande rumeur, d'une vigueur étonnante. J'en avais la chair de poule. Je me sentais connectée à mon père, je pensais à son chagrin, à ses peurs face à son public. Je me suis installée sur un tabouret juste à côté de la scène, sur la marge du public. C'était magique. Magique de voir que plus de six mille personnes s'étaient déplacées, pour le soutenir. C'était beau. C'était de l'amour. J'étais très émue.

Les gens commençaient à s'agiter. Moi, je priais, je priais pour que son spectacle soit un succès. L'introduction a démarré, le public a applaudi, comme si les battements de mains allaient faire venir l'artiste plus vite – et il a émergé, il a foncé sur le devant de la scène. Et d'un coup, le public s'est tu. La salle tout entière baignait dans le silence. Un briquet s'est allumé, puis un autre, et en deux minutes, la salle était devenue un océan de lumière. Tous les spectateurs debout. On pouvait presque toucher du doigt l'énergie rassemblée de ces milliers de personnes, l'énergie qu'elles transmettaient, à bout de flamme, au chanteur debout devant eux. Mon père est resté figé, quelques instants. Dans la magie de l'instant.

Puis il a pris la parole.

– Ce soir est un soir spécial. Vous le savez, et ce soir, j'ai décidé de le passer avec vous, et uniquement avec vous. Pour ça, je vais vous parler d'elle. Je vais vous parler de *La Fille aux yeux clairs*.

Et il a enchaîné sur le début de la chanson. Cette chanson, il l'avait effectivement écrite pour sa mère – une mère idéale, ou idéalisée. Il m'a regardée, il m'a fait un signe de tête. Le public était sous le charme. Et nous étions dans la lumière.

À la fin de cette première chanson, Michel a commencé à trouver ses repères. Tout se passait comme convenu. Et il s'est lancé pour de bon.

Je n'avais pas vu mon père chanter avec tant d'ardeur depuis fort longtemps. Moi, j'étais bouleversée. Et le public, sans fausse note, sans faute de goût, fredonnait les paroles, et éclatait en applaudissements.

Autre moment phare du spectacle, *Le Fauteuil*, une chanson écrite en hommage à son père, Fernand Sardou. La salle est en osmose avec sa douleur et son plaisir de chanter. Prodigieux. Vers la fin du récital, il a entonné la chanson *Salut*. C'est une chanson spécialement composée pour le final. La dernière note chantée vibre encore que Michel Sardou s'éclipse déjà, laissant les chœurs finir. La voiture nous attend pour partir – l'artiste ne reste jamais jusqu'à la fin de son show, c'est son style, sa mise en scène à lui.

Dans le véhicule, il est en nage, comme à chaque concert. Il s'installe, me regarde en prenant la main :

– Alors, c'était comment ?

Le producteur, installé à l'avant du véhicule, ne me laisse pas le temps de répondre.

– Tu as été formidable, Michel !

Il lève son pouce en l'air, comme un empereur romain distribuant les grâces au gladiateur épuisé. Toujours le même signe, le même rituel. Le geste n'a plus guère de signification.

Mon père semble, malgré tout, attendre mon avis. J'attends juste qu'il redescende sur terre, qu'il évacue la pression des deux heures de récital. Et puis je le rassurerai oui, le concert a été une belle réussite.

Arrivés à l'hôtel, le producteur lui rappelle qu'il a une conférence de presse, là, tout de suite.

– Oui, je sais, répond mon père d'un ton las. Laisse-moi une demi-heure, le temps de prendre une douche.

– Bon, on vous attend au bar de l'hôtel.

Mon père et moi sommes épuisés. Le spectacle, le deuil, tous ces mots chantés, tous ces mots refoulés.

– Faut encore tenir un moment, me dit-il. Et après, on se couche !

Au restaurant, une bonne quinzaine de chroniqueurs nous attendent, dans un cadre feutré aux tons pastel. À notre arrivée, tout le monde se redresse, nerveux, poli. Mon père s'installe, je me mets à côté de lui, puis nos hôtes. Michel passe sa commande, un plat copieux de viande rouge et du vin. Arriverai-je à avaler une entrée et une salade de fruits ?

– Je vais vous raconter ma mère, commence-t-il. Vous dire qui elle était.

Mon père aimait profondément sa mère, et très vite, à l'écouter enchaîner les anecdotes, narrées avec du cœur, on a eu l'impression qu'elle était à table avec nous. L'ambiance s'est réchauffée. Quand il a fini de parler, d'autres discussions se sont enchaînées, sur lui, sur sa carrière, sur le spectacle en cours, et la mise au point d'un spectacle dont l'investissement était faramineux.

La soirée était presque terminée. Je me suis levée, j'ai salué les uns et les autres d'un signe de tête, et je suis allée me coucher.

Le jour des obsèques, mon père avait donné rendez-vous à toute la famille dans l'appartement de ma grand-mère. Des vigiles gardaient la porte, à la demande de la production.

En rentrant, j'ai eu une sensation bizarre : je connaissais bien les lieux, et il me semblait qu'il manquait des objets. Je fais discrètement le tour du propriétaire, l'air de rien, et constate l'absence de photos de famille.

Nous sommes partis à l'église. Mon père était dans la voiture de tête, j'étais en compagnie de l'un de mes frères ; ma mère et ma sœur n'étaient pas loin, ainsi que d'autres membres de ma famille.

Les obsèques se sont déroulées dans la peine et l'affliction – et sous les flashs des photographes. Mais le lendemain, de retour au bureau, ce ne sont pas seulement les photos de la veille que je découvre dans les journaux, mais celles qui avaient disparu de l'appartement. Je fais ma petite enquête, et la dame de compagnie me confirme qu'une personne est effectivement entrée dans l'appartement – une consœur présente la veille à la conférence de presse. Elle s'est servie en photos, sans que la présence du corps sans vie de Jackie ne la gêne.

J'appelle mon père, je lui explique la situation. À ma grande stupéfaction, Michel me répond qu'il est au courant.

– Et tu laisses faire, ça ? Tu sais comment ça s'appelle, tant dans le code pénal français que dans les lois internationales ? Violation de domicile, atteinte à la vie privée, recel et atteinte à la mémoire des morts.

Ça n'a pas paru l'émouvoir à cet instant. Il n'a rien répliqué.

Mon père et moi avons été, au moment de cette disparition, plus proches l'un de l'autre que nous ne l'avons jamais été. Et c'est pendant ce deuil partagé que nous communiquons enfin davantage. Pour un temps. Il écoute, puis, redevient agressif, dès qu'il récupère des forces. Mon père est incontrôlable par moments. Il me défendra bec et ongles un jour, parce que ça lui chante, mais son attitude pourra changer du tout au tout, simplement sur une réflexion d'un membre de son entourage. Il est trop souvent d'accord avec le dernier qui a parlé. Au fond, il pousse des gueulantes, face à ses employés, mais il s'amadoue très vite, pour ne pas déranger le *statu quo*.

*Jackie*

C'est un manipulateur constamment manipulé. Il a probablement passé ses nuits à l'époque avec des femmes qui se sont servi de lui pour se valoriser, obtenir plus que leurs rivales dans l'équipe, ou attirer son attention. Certains membres de l'entourage volent des objets en tout genre, se servent dans les cadeaux innombrables envoyés par les fans – en ricanant.

Dans l'année qui a suivi notre deuil commun de Jackie, j'ai découvert mon père dans toute son ambiguïté, ainsi que ses méthodes anarchiques, surréalistes.

Sardou est un impulsif. Il se déchaîne au point de vouloir se servir d'une arme sur un ancien collaborateur avec lequel j'ai travaillé – pour ensuite retourner la situation contre moi. Ce collaborateur s'en était pris à moi. Mon père s'était mis dans une rage noire, au point d'appeler cet homme à n'importe quelle heure du jour et de la nuit pendant trois mois, pour le menacer. Il m'a promis de régler cette histoire en lui cassant la figure.

Il jure vouloir me protéger, pourtant. Bien sûr, il se dégonfle – heureusement. Il ne sait pas brider ses agressions verbales et colériques. Et c'est alors à moi de le calmer, quand les autres n'y arrivent pas. Et parce qu'au fond je suis toujours restée à quelque distance de lui, je suis la seule à cet instant à le maîtriser dans ses moments de délire.

Mais ses menaces ont fait leur petit effet. On m'exclut de l'entreprise, et je pars travailler sur une émission qui ne voit pas le jour. Je ne vois plus mon père pendant quelque temps. Il revient vers moi quelques mois plus tard, et évoque de nouveau cette histoire, en reconnaissant que j'avais effectivement raison... C'est tout lui : il a repris la main, l'affaire est close. L'altercation qui a failli virer au drame n'était qu'une mauvaise plaisanterie.

Mais je n'arrive pas à passer l'éponge. Je lui fais moins confiance, et décide de poursuivre seule mon chemin dans d'autres productions.

Mon père me téléphona par la suite. Il avait réfléchi, disait-il : tout cela finalement était MA faute. Mon père, d'une mauvaise foi totale, avait oublié que je ne lui avais rien demandé. Je savais que ses méthodes n'étaient ni académiques, ni diplomatiques ; et mon but avait été de résoudre le problème – sans y arriver, puisque les conditions de travail n'avaient fait qu'empirer, et que j'étais bien renvoyée. J'avais cependant reçu une lettre d'excuses de cet ancien collaborateur, et j'avais choisi de mettre un terme à ce conflit, qui aurait pu aller jusqu'aux prud'hommes, qui auraient peu apprécié le nombre impressionnant de CDD (contrats à durée déterminée) dans cette boîte, ou la façon dont certains producteurs soignaient leur poule aux œufs d'or, Michel Sardou.

Dans les mois qui suivirent, je fis de l'équilibrisme entre plusieurs boîtes de productions. CDD, salaires de stagiaire, des pâtes à chaque repas. Aiguillée systématiquement sur des voies de garage, sur de vagues pilotes d'émissions, ou sur des projets qui ne duraient que quelques mois. Je m'étais inscrite dans des castings pour faire de la figuration, ou pour prêter ma voix dans des doublages – pour me nourrir. Mon père me donnait un peu d'argent de poche, juste assez pour que je ne crève pas de faim, et uniquement parce qu'il refusait que SA fille oscille de petits boulots en vraies galères. J'avais alors un statut d'intermittente du spectacle, n'ayant pas assez travaillé pour toucher un quelconque chômage. Je me consumais en jobs d'esclave, jusqu'à ce que Michel Olivier (le mari de ma marraine), organisateur de tournées et metteur en scène, me présente un certain Eddy Marouani, imprésario, qui m'a embauchée.

Je suis passée alors dans une autre dimension professionnelle. Dans un autre vécu.

J'étais devenue une grande fille. Pour le meilleur et pour le pire.


Rentrée 1999 : Michel Sardou se marie, pour la troisième fois, et il a l'air heureux. On a l'impression que mon père redécouvre l'amour. Anne-Marie Périer, sa compagne, est une femme de sang-froid. Directrice de la rédaction d'un magazine féminin à cette époque, grande, fine, les cheveux courts, très bruns, elle a beaucoup d'allure. Bien des gens autour de moi la trouvent coriace – moi pas.

La même semaine, l'un de mes frères se marie à son tour avec une blonde Italienne. J'en conçois une pointe de jalousie : je commençais à me rapprocher de mes frères, et cette jeune Italienne me privait de lui, tout simplement.

Michel Sardou et son fils se marient presque le même jour ! Les médias sont aux anges !

Je fais connaissance avec les proches de ma (nouvelle) belle-mère : l'un d'eux me plaît assez. Mon frère ne manque pas, fine mouche, de l'inviter à son mariage, avec derrière la tête l'idée d'opérer un rapprochement de cœur et de corps entre cet homme et sa sœur – et il n'avait pas trop mal vu…

Je n'ai pas osé annoncer tout de suite à mon père que j'avais peut-être trouvé chaussure à mon pied.

Après trente-cinq ans passés dans la chanson, mon père, de son plein gré, décida de mettre sa carrière entre parenthèses pour tenter autre chose, une carrière théâtrale – pour rentrer, au fond, dans la tradition familiale, et peut-être la mort de sa mère n'y était pas pour rien : il reprenait le flambeau !

Il rentrait chez lui en général vers 11 heures du soir. Et ce soir-là, le type en question se trouvait déjà dans la maison familiale avec ma belle-mère.

Il avait été prévu avec lui que je vienne à mon tour vers 11 h 15 – petite conspiration cousue de fil blanc. À l'heure convenue, je sonne à la porte d'entrée.

– Oui ? fait Anne-Marie.

– Je passais dans le coin, dis-je avec un peu d'incertitude dans la voix.

– Entre donc. Que nous vaut ce plaisir ?

– Rien, des amis habitent le quartier. J'en profite pour vous dire bonsoir.

– Ton père ne devrait pas tarder à arriver. Tu as dîné ?

– Non, mais je n'ai pas très faim.

On entend, depuis l'office, la voiture de mon père se garer dans le parking de la propriété. L'autre garçon et moi nous regardons avec inquiétude : comment va-t-il réagir ?

Mon père rentre en claquant la porte et fonce dans la cuisine. Son esprit est toujours sur scène. La table est mise, le plat est encore sur le feu, quelques haricots verts attendent d'être réchauffés. Michel se jette sur la casserole, la fourchette à la main. Mon copain se trouve à côté de lui, je suis, avec Anne-Marie, dans la salle à manger, juste à côté de la cuisine. Anne-Marie me parle, j'écoute sa conversation d'une oreille distraite –, et, de l'autre, les propos des deux hommes. L'instant suivant, je me lève.

– Bon. Nous avons une nouvelle à vous annoncer.

Mon copain regarde ailleurs. Pour être soutenue, je me sens soutenue ! Mon père s'étouffe dans ses haricots verts. Il se tourne vers le jeune homme, d'un ton ferme :

– Tu vas me dire tout de suite ce qui se passe, p'tit con !

Je reste dans l'embrasure de la porte, entre la cuisine et la salle à manger :

– J'ai commencé, dis-je, tu fais le reste.

Le blondinet bafouille :

– Ben, en fait, Cynthia et moi avons une… idylle depuis quelque temps.

– Oh, je le savais ! gueule Michel. Il se tourne vers sa femme : Tu vois, hein, je te l'avais dit.

– Je m'en doutais aussi.

– Ah, vraiment ? Eh bien, nous allons fêter ça, annonce mon père en souriant.

À table, les discussions roulent principalement sur la pièce qu'il joue. Michel évoque la réaction du public, il rêve d'acheter un théâtre. Et de partir sur les futures programmations. Anne-Marie de son côté aborde les prochaines couvertures de son magazine. Bref, chacun de nous parle de son quotidien.

Vers la fin du repas :

– J'ouvrirais bien une bouteille de champagne, suggère mon père. Pas vous ?

Comme je le connais, je précise précipitamment :

– Souviens-toi, papa : nous avons dit « idylle », pas « mariage ».

Il est décidément de bonne humeur, ce soir.

– Bien ! Alors, un petit digestif fera l'affaire.

La soirée se termine dans la bonne humeur. Je me sens bien : est-il possible qu'une réelle complicité familiale s'instaure ? La famille est au courant, et c'est pour moi l'essentiel.

Mon Roméo se plaignit, dans les jours qui suivirent, de ne pas me voir assez souvent : sa préoccupation, disait-il, c'étaient les médias. Il avait peur – disait-il – que la presse se mêle de notre histoire. J'avais un doute sur l'authenticité de ses réticences. Je crois même qu'il souhaitait très fort que notre relation soit dévoilée au grand jour. Personnellement, je me moquais pas mal de ce que la presse pouvait bien penser : les principaux membres de la famille étaient en accord avec notre décision, et tout se déroulait pour le mieux.

Quelques semaines plus tard, je reçus une invitation pour un cocktail. Une nouvelle chaîne d'information continue naissait. La télévision m'a toujours intriguée – son fonctionnement, ses programmes, sa technologie –, et le concept d'information continue éveillait d'autant plus ma curiosité.

Dans le salon VIP, petits fours et canapés s'entassaient, et aussi de nombreuses personnalités du PAF (paysage audiovisuel français). On pouvait sentir littéralement le stress du lancement.

Pierre Lescure, le président, et Christian Dutoit, le fondateur, étaient là. Leur fierté était quasiment palpable. Au sein de la rédaction, de nombreux écrans arboraient la même image, et une présentatrice, sur le plateau, attendait les derniers signaux du réalisateur :

« Dix, neuf, huit, sept, six, cinq, quatre, trois, deux, un... »

– Bonjour à tous et bienvenue sur notre nouvelle chaîne d'information continue I-Télé. Tout de suite, les titres du journal...

Et j'ai tout de suite su que j'adorerais y travailler.

Mon CV n'est pas si mauvais en expérience audiovisuelle, mais il est un peu balbutiant sur le plan journalistique. Je suis néanmoins déterminée à apprendre ce métier. Deux jours plus tard, je suis convoquée à la direction générale et rencontre Christian Dutoit. Un type vigoureux, le charisme absolu. Il me reçoit avec beaucoup de spontanéité, et je suis extrêmement impressionnée. Ce directeur général me parle de tout, et du journalisme. Il me pose des tas de questions sur la vie, sur ce que j'aime plus particulièrement. Quant à sa technique pour cerner les gens, je crois qu'il n'en a aucune, précisément. Il marche au flair. Et c'est tant mieux. Je découvre ainsi l'homme avant le boss. Après une demi-heure de conversation, il finit par écrire en gros, en haut de mon CV : Journaliste.

Je suis fort honorée, et pas mal perplexe. Mais dès le lendemain, je reçois un coup de téléphone du directeur des ressources humaines, me demandant d'intégrer la chaîne le jour suivant.

Je visite les lieux, rencontre l'équipe, les journalistes, les rédacteurs en chef et le directeur de la rédaction. Il y a un climat d'effervescence générale. Je dois me mettre au travail rapidement. Cette chaîne débute, et j'ai tout à prouver. Je dois dans un premier temps me familiariser avec le matériel, et avec les gens. Nous faisons tous connaissance de façon évasive, par manque de temps. D'autres journalistes viennent d'être recrutés, l'équipe se forme au fur et à mesure. Nous vivions dans l'actualité, par rapport à elle, et surtout à travers elle. L'information est la vedette. Chaque événement a son importance, les conférences de rédaction se succèdent, le matin, le choix éditorial a un rôle capital, et je suis partie prenante. J'ai pour mission de façonner un conducteur avec un chef d'édition et un rédacteur en chef, de monter les quelques images nationales ou internationales d'une durée de trente secondes, et d'écrire une brève qui correspond à celles-ci.

Nous avons l'impression que le monde est entre nos mains. J'ai le sentiment de le pénétrer. L'actualité, c'est la violence, présente partout. Du sang et des larmes. C'est là que je prends conscience de notre univers, de ce que nous en faisons.

J'apprends, j'observe tout ce qui m'entoure, les présentateurs, la programmation, les techniciens et l'image proprement dite. Je remarque que certains journalistes ont une obsession très particulière de l'image – la leur, en particulier. Je suis parfois très admirative de voir comment un journaliste présente un journal, et parfois choquée par cet ego envahissant. Je me contente d'avoir une opinion personnelle, tout simplement. Je parle très peu, et par-dessus tout, je prends bien soin de ne jamais critiquer qui que ce soit à haute voix. Je souhaite que mon travail soit parfait : je me rends tôt au bureau, j'épluche la presse dans le moindre détail, retiens le nom des journalistes de la presse écrite, leur spécialité, j'écoute en boucle toutes les radios d'information, l'œil en permanence sur l'Agence France Presse.

Une fois la journée terminée, je me rends dans les bureaux d'Eddy Marouani.

Cet agent, considéré comme le plus grand de sa génération, a le talent de découvrir celui des autres. Il est la générosité par excellence. Il m'a confié un

Appelez-moi Li Lou

nouvel artiste. Un jeune comique, plein d'énergie. Selon Eddy, il a le don de faire rire.

Derrière son bureau, les bras croisés, le roi des lieux regarde ses interlocuteurs avec un sourire narquois et malicieux. Il pose des questions, sans attendre les réponses. Il aime son métier plus que tout, il aime les gens, et se voue corps et âme à ses artistes.

Un cerveau encyclopédique, en perpétuelle activité.

– Il y a un nouveau spectacle qui est en train de se préparer, me dit-il. (Sa conversation ressemble à un pilonnage intensif.) Il faut que tu te renseignes sur la production. Qui s'en charge ? Qui est sur ce coup ? Tel comédien est propriétaire d'un théâtre. Je veux plus d'informations. Hier soir, j'ai vu une comédie musicale où j'ai aperçu un chanteur. Il m'interpelle ! Je souhaite savoir d'où il vient et pourquoi il fait ce métier... Mis à part le fait qu'il veuille être célèbre. Non. Savoir ce qu'il a dans les tripes...

Ces questions, il me les pose tous les jours, à quelques variantes près, en arrivant au bureau.

– Ah, autre chose. L'artiste dont tu vas t'occuper sera à l'Olympia cette année, j'ai obtenu un passage pour lui, pour un soir. Il ira loin, ce petit. Toi, Cynthia, je voudrais que tu prépares l'organisation de la salle, mais avant, il faut impérativement que tu ailles à Londres, rencontrer les producteurs d'un spectacle et me le ramener à Paris. Je ne veux pas rater ça. Les critiques britanniques sont excellentes, et ce genre de spectacle n'existe pas en France. Et puis, j'ai un budget, et déjà une salle en prévision...

Eddy est un passionné, attentif à chaque détail. Il a toujours le chic pour vous raconter ses souvenirs. Notamment dans son livre : *Le Pêcheur d'étoiles.* Quand l'ouvrage a paru, il m'en a donné un exemplaire. La dédicace à mon intention remémore un vieux dialogue qu'il a eu avec mon grand-père, Fernand Sardou.

*À la terrasse du PAM PAM, face au MOULIN ROUGE.*
*« Je t'en prie, Eddy, dis-moi que mon fils va réussir. »*
*« Il a écrit "les Ricains" et "Petit", il a déjà réussi ! »*
*À cette jeune fille de réussir maintenant !*

Eddy Marouani m'entraîne sans le vouloir dans deux célébrations à la fois : celle d'un événement prochain prévu dans une salle mythique, et celle de mes racines.

En effet, quelques mois plus tôt, l'Olympia a été entièrement rénové. À cette occasion, une émission spéciale, télévisée en direct, est en préparation. Mon idée fixe est de collaborer à cette première, ce soir-là, pour revenir à mes origines – le music-hall.

De nombreux artistes français doivent participer à cet événement. Mon rôle est d'organiser le salon VIP. Un garage situé derrière la salle a été entièrement tapissé de rouge, la couleur de l'Olympia. Les répétitions ont déjà commencé, les techniciens, les instruments, la régie, les lumières. On installe un écran géant dans la salle. Les cadreurs, les journalistes, les photographes, les traiteurs et les vigiles, tous sont à leur poste. Reste néanmoins à installer et à vérifier les loges. Elles sont encore vides, les gens désiraient les voir pleines de photos d'artistes.

J'ai donc proposé de le faire. Sans me justifier : mon vœu est sur le point de se réaliser.

C'est l'occasion de rendre hommage à mon grand-père, Fernand Sardou, que je n'ai pas connu, mais dont m'a si souvent parlé Jackie. Mon père l'évoquait souvent, d'une manière ou d'une autre, avant ses propres représentations.

Les murs, les couloirs, le parfum suranné des gloires qui sont passées ici, tout a pour moi une puissance incroyable. J'absorbe à pleine poitrine toutes ces ondes : chaque objet, chaque déchirure de tapisserie me racontent une histoire. Les vieilles portes, les rideaux qui séparent une loge en plusieurs compartiments – autant de nouveaux territoires. Ma vie et mon sang.

En regardant de plus près, je peux lire les petits mots d'avant et après spectacle, un numéro de téléphone incomplet, une heure de rencard et des prénoms codés. Dans un miroir je peux imaginer tous les passages, tous les visages, saisir les peurs d'avant-première, les doutes, les bonnes et mauvaises nouvelles. L'arrivée d'un télégramme, les ragots, les rentrées, les sorties, les coups de speed lors d'un changement de costume, le dernier coup de blush, la pose d'un rouge à lèvres et les vapeurs d'un parfum. Ce miroir où le comédien se retrouve face à lui-même, l'un des rares moments où la vedette du soir est contente d'elle, là où elle se concentre, les cinq dernières minutes avant la levée du rideau...

Une vieille chaise en bois attire mon attention. Là, distinctement, je vois l'ombre de mon grand-père, assis sur cette chaise, les bras croisés, ses rondeurs bien installées, un chapeau de paille sur sa tête dégarnie, les yeux pétillant d'amour, le sourire aux lèvres. Ses pommettes dodues se redressent, il met sa main devant sa bouche dès que sa coquetterie prend le dessus. Il a les pieds dans une bassine, il est entouré de femmes, de danseuses. Il rit. Je ris. J'entends les échos grasseyants de son accent provençal, ses blagues. Je le vois siroter une anisette en compagnie de ses amis. Je surprends ce diabétique, parti s'acheter en douce des viennoiseries dégoulinantes de sucre, les dévorant à grandes dents. Pêcher dans l'eau, au soleil, les doigts de pieds en éventail. Je l'entends qui me lance : « Allez, Pitchoune, allez, ouste ! » Je l'entends chanter *Aujourd'hui peut-être, ou alors demain.* Évoquer le soir de ses noces, en présence de Thérèse...

Il inspirait la gentillesse, la douceur, il charmait et séduisait. Selon ma grand-mère, Fernand était incapable de méchanceté et toujours prêt à rendre service. Né à Avignon, il fit au départ divers métiers. Puis cabaret et histoires marseillaises, notamment au Liberty's. Au théâtre, il interprète *Le Port du soleil, On a volé une étoile,* dont il fut l'auteur, *Pour Don Carlos, Marius, Le Pirate, La Dame à l'écureuil.*

L'opérette était alors au zénith du genre.

Au cinéma, contrairement à Jackie, malheureusement souvent confinée dans des rôles comiques qui ne rendaient pas justice à toutes les facettes de son talent, Fernand interprète des compositions bien plus riches de nuances. Il a commencé très tôt, en 1934 (il avait tout juste vingt-quatre ans). Mais il éclate à partir de la guerre, avec *Les Cadets de l'océan*, en 1942. Puis *Miroir*, en 1946, *Meurtres* en 1950. Il travaille avec Verneuil (*La Table aux crevés* en 1951, *Le Fruit défendu* en 1953) et Pagnol (*Jean de Florette* et *Manon des sources*, en 1952), Melville (*Quand tu liras cette lettre*) ou Delannoy (*La Route Napoléon*, 1953). Il ressuscitait son accent provençal sur simple requête, pour *Le Curé de Cucugnan*, *Le Boulanger de Valorgue*, *Les Lettres de mon moulin* – ou *D'où viens-tu Johnny*, le « western camarguais » qui fit enfourcher un pur-sang à un rocker national français pour la première fois : Johnny Hallyday. Il tourne encore pour Autant-Lara (*Marguerite de la nuit*, 1955) ou Clouzot (*Les Espions*, 1957). Et j'en passe.

Je ne voudrais tout de même pas oublier *Si ça peut vous faire plaisir*, un film de 1948 qui n'est pas impérissable, mais où il jouait pour la première fois en compagnie de Jackie, sa femme.

En 1947, il était à l'affiche de l'Olympia, en première partie d'une autre grande vedette auréolée de son rôle pendant la guerre, Joséphine Baker.

Il avait profondément joui de la vie. Il donnait sans compter, un vrai panier percé ; Jackie, qu'il appelait maman, savait compter, elle – et devenait folle. Mais Fernand riait de tout, se moquait de tout, même de lui.

Ces lieux, ces souvenirs de scène, réveillaient en moi tant d'anecdotes familiales !

En 1996, son fils Michel Sardou était également tête d'affiche dans ce même lieu. Six mois d'Olympia sans interruption. Il avait, pour la circonstance, retapissé sa loge, du sol au plafond, en rouge.

Le temps passe vite, trop vite. Je referme les portes de chaque loge, ces vieux murs qui ont disparu depuis, laissant la place à la nouveauté, à d'autres artistes. Le poulain d'un Marouani qui entame sa carrière, qui n'est pas encore connu du grand public. Je ne peux pas refuser la proposition d'Eddy : j'ai donc jonglé avec deux emplois, l'un à la rédaction de la chaîne, l'autre comme agent en relations publiques.

Mais ma vocation évidente, profonde, c'est le journalisme. Je le sais mieux chaque jour.

Je commençais à poser mes premiers jalons dans la rédaction. J'avais mes préférences, dans l'équipe. L'un d'entre eux, que j'avais surnommé Ben, était pour moi l'un des meilleurs jeunes journalistes de cette chaîne. À l'écran, il séduisait le spectateur, son phrasé était quasi parfait, et dès qu'un problème survenait, il le voyait immédiatement à l'antenne. Il offrait au téléspectateur un détail de plus qui faisait parfois la différence. Il m'arrivait d'attendre la diffusion d'un sujet pour lui chuchoter quelques mots dans l'oreillette. Les petits mots par messagerie interne ne manquaient pas non plus, créant une relation complice, faite de respect mutuel. Je le rassurais aussi. Je savais comment remonter le moral des troupes. Je devenais de temps à autre la confidente de certains, sans pour autant dévoiler quoi que ce soit de moi.

Cette discrétion systématique, entretenue chaque jour volontairement, me convenait. Je restais mystérieuse, physiquement froide. Vêtue de manière très classique, je portais des vêtements longs, noirs le plus souvent, et pratiques. Je voulais être élégante tout en restant modeste. Loin de moi l'idée de vamper qui que ce soit. Je souriais peu, tenais à garder une certaine distance, et refusais de mélanger vie privée et vie professionnelle.

Certains rédacteurs en chef (Georges, Daniel, Michel, Geneviève, Danièle, François – d'autres encore qui vinrent par la suite) furent les premiers à croire en moi. J'avais réalisé un commentaire sur image, un séisme qui s'était déroulé au Salvador ; Georges, avait pris le soin de le regarder et de le corriger avant de le diffuser. Il m'encourageait dans mon travail ; il avait été journaliste de terrain, il me racontait quelques fables piquantes. Il avait le sens du détail.

Daniel – journaliste et rédacteur en chef de longue date, les cheveux poivre et sel, des lunettes et une pipe, ses deux totems. Avec lui, c'était très détendu. Et avec ça, professionnel de l'information jusqu'au bout des doigts.

Michel, surnommé Mike, le plus sensible de tous mes supérieurs, entre trente-cinq et quarante ans, belle corpulence, un sourire de jeune premier. Le doute le submergeait en permanence. Il entrait en transe pour obtenir un journal irréprochable. Je me souviens qu'au tout début de son arrivée, toutes les filles de la rédaction étaient séduites. Moi y compris. En plus d'être beau, il avait toujours un mot gentil pour tout le monde et nous voulions toutes être et travailler à ses côtés.

Geneviève était une femme d'une quarantaine d'années, toujours très élégante et très proche des jeunes. Une grande personnalité. Elle participait à tout et partageait sa salade et son yaourt quand personne n'avait le temps de déjeuner.

Danièle, c'était l'énergie permanente. Toujours fidèle au poste, toujours sincère, avec des connaissances illimitées. Une mère de famille pour tous, qui donnait sans compter.

François, enfin, le journaliste de toujours, le passionné, le grand professionnel aussi, d'une puissante intelligence et d'une capacité sidérante à tenir le direct pendant près d'une heure non-stop, sur n'importe quel sujet, sur le même thème. Il anticipait, il développait tout, même si la dernière dépêche était tombée depuis moins de dix secondes.

Ce quotidien me plaisait assurément, c'était bon d'y venir tous les jours. Mes journées passent très vite, aux côtés d'une équipe fascinante.

Côté Marouani, le spectacle de l'Olympia est toujours en préparation. Le comédien que je chapeaute répète son show avec la complicité de Michel Olivier. Pour ma part, je dois rédiger les communiqués de presse, contacter par la suite les partenaires audio-télévisuels, la presse écrite, et tous les sponsors possibles, jusqu'aux marques de vêtements. J'ai par ailleurs embauché une femme de dix ans mon aînée, ancienne sportive, sans expérience, mais volontaire. Je lui explique en détail les démarches à effectuer chaque jour entre chaque pause, l'organisation complète du spectacle ainsi que les prochaines interviews du comique déjà planifiées. Mon planning est chargé, mais, cette fois, bien structuré.

Je suis dans mon appartement parisien, assise dans le fauteuil du salon, avec, entre les mains, le bloc-notes de mon voyage en Californie. Mon passeur de fantômes. Mon regard se lève dans le vide. Et le vide n'est pas tout à fait vide.

— Mamie, c'est toi ?

— Ça pourrait être moi.

— Comment ça, ça pourrait ?

— C'est ton imagination qui œuvre. Si tu veux penser qu'il s'agit de moi, tu le peux, ma chérie. Et puis, tu sais, je ne suis jamais vraiment partie ! D'ailleurs, depuis que je suis partie de ce monde, je suis toujours restée près de toi.

— C'est vrai ! Alors, puisque j'ai décidé de déployer mon imagination, où te trouves-tu à cet instant ?

— Je suis assise juste en face de toi !

— Je t'imagine, mais ne te vois pas.

— Tu peux m'entendre à travers toi !

— C'est exact ! Enfin, je crois, parce que je n'en suis pas sûre du tout. J'ai même l'impression d'être désaxée, en un sens.

— Allons, allons, bien sûr que tu ne l'es pas !

— Oui mais comment être certaine de tout ceci, de cette fantaisie, de ce fantasme finalement ? Ce n'est en rien concret, ni palpable…

– Il y a tellement de choses qui ont l'air d'être concrètes dans ton monde, des choses que tu crois manipuler, alors qu'il en est rien.

« Un discours n'est jamais tangible en soi, ni ce que tu vois – et ta conception du temps non plus. L'étoile en est le parfait exemple. Dans ton langage scientifique, tu sais que sa lumière met des années, des siècles parfois pour t'arriver. Lorsque tu observes une étoile à l'œil nu, à ce même instant, tu vois ce qu'elle était des années, des siècles auparavant. Peut-être est-elle déjà éteinte… Morte, comme tu dis… Les objets sont visibles, mais sont-ils si concrets que ça ?

« Le temps n'existe pas. Il n'est ni localisé, ni défini, quel que soit le domaine et quels que soient les champs de consciences qui nous entourent. Dans ton Monde terrestre, je dirais qu'il s'agit plus d'une limite de connaissances, de perceptions, que du début réel de ton univers.

– C'est drôle… Ta voix n'est pas la même – pas aussi forte qu'elle l'était de ton vivant.

– J'vais t'dire, quand je suis arrivée ici, enfin, dans ce monde-là, j'ai vite compris !

– Compris quoi ?

– Tu te souviens, cette nuit-là – ma dernière nuit… Je n'ai pas compris ce qui se passait tout de suite. Je ne l'ai compris que quand je t'ai vue arriver près de moi, et me secouer le bras au sol. Je t'ai vue ce jour-là… Je suis restée dans l'appartement. J'ai vu tout ce monde défiler. Les pompiers, les pompes funèbres et…

– Si tu parles des photos, ça, je le sais !

– D'autres encore, que tu n'as pas vus tout de suite, se sont introduits pour prendre d'autres objets personnels.

– Qui ? Qui ? !

– Oh, je sais bien que cela te contrarie. Ça ne sert à rien. La personne qui l'a fait se reconnaîtra, et crois-moi, ça ne lui a pas porté chance.

– Ensuite ?

– Ensuite ? Je me suis déplacée dans le temps, dans différents espaces terrestres – le tien, entre autres.

« Ici, on ne vit qu'à travers l'amour, dans le partage, dans la bonté, le pardon, sans aucune haine, sans aucune amertume. Rien de ce que vous vivez dans ton cercle terrestre.

– Il n'y a donc aucune souffrance, dans ta dimension ?

– Aucune – dans ton imagination en tout cas.

– Une question, une dernière : comment s'est faite la présentation ?

– Quand ils m'ont vue, ils ont dit : « Tiens, v'là la petite grosse ! »

Troisième partie

Eux

Les fêtes de fin d'année approchent. Et trêve de Noël ou pas, j'ai bien l'impression que ma famille s'est en partie ressoudée. Ça me fait plaisir, pour une fois. Mes frères ne sont pas loin de moi, mon père est de meilleure humeur, et je croule sous le boulot.

Anne-Marie, ma belle-mère, a prévu d'organiser un grand repas familial et convivial. Mon père, mes frères, et d'autres proches et amis de la famille doivent être de la fête.

Mon couple commence, lui, à s'effriter sérieusement.

Ce soir-là, je travaille à la chaîne, tard le soir. Une soirée longue, mais détendue. Une grande partie de l'équipe est en congé, et nous sommes quatre ou cinq tout au plus. Noël sous tous les angles : les différents magazines sont déjà pré-enregistrés, et pour l'actualité immédiate les reportages sont en cours, au gré des événements.

Vers 2 heures du matin, tout est pratiquement bouclé. Je respire un grand coup, assez contente de cette fermeture en pensant à la prochaine équipe du matin, et je me lève enfin.

La dernière personne de la chaîne qui me voit partir ce soir-là est le présentateur de la nuit. Je prends mon manteau, je regagne mon véhicule dans le parking souterrain. Il fait froid, les rues sont vides. Personne à l'horizon, mais je conduis lentement. Vidée. Une seule pensée en tête, obsédante et pleine de promesses douillettes : retrouver mon lit.

Sur le chemin du retour, je pense au prochain spectacle de l'Olympia, notamment à l'organisation de la salle, de la presse, des invités, aux derniers préparatifs, à l'information, au lendemain, à un avenir que je commence enfin à deviner. Je me suis rarement sentie aussi bien dans un job et dans ma vie. Le métier me passionne chaque jour davantage. L'information est une drogue dure : chaque sujet est différent, chaque reportage a son propre ton, son angle d'attaque ; l'accroche d'un titre, le mot, l'image – rien de stéréotypé. Aucune de mes journées n'est semblable à la précédente, et j'aime ça !

Il y a dans mon rétroviseur, depuis cinq bonnes minutes, les phares acharnés d'une voiture occupée par plusieurs personnes. Sans que j'en sois bien consciente, par pur réflexe, j'accélère un peu.

Je me gare enfin sur le parking extérieur de mon immeuble. Il fait noir comme dans un four, le plus proche lampadaire est à cinquante mètres. Plus personne, plus rien. Un désert hivernal. Juste avant de sortir de ma voiture, je consulte les messages de mon portable. Nada. Pas même un « Joyeux Noël » !

Comme je m'apprête à sortir de mon véhicule, un homme tire la portière déjà entrouverte, m'agrippe par-derrière en plaquant sa main droite sur ma bouche. Il tient de l'autre main un couteau qu'il me met sur la gorge – j'ai distinctement senti la lame qui froissait la chair, j'ai vraiment pensé que j'allais mourir.

– Si tu gueules, j'te plante ! souffle tout bas une voix haineuse.

Je ne risque pas de crier. Ni de bouger. Je suis tétanisée.

Un deuxième type ouvre la porte, côté passager, et s'installe.

J'ai dû tenter quelque chose. Un geste. Une protestation involontaire de tout le corps.

Le type qui me tient me plaque contre la voiture, en gueulant, cette fois :

– Connasse ! Tu bouges pas ou tu crèves !

Puis il s'adresse à son complice :

– Fouille le sac. Dépêche !

Terrifiée. Immobile. Docile. Le type qui me tient me relève la tête en me tirant en arrière par les cheveux. De son autre main, il garde le couteau sous ma gorge.

– Monte à l'arrière, ordonne-t-il d'un ton brutal. Tout de suite. Allez ! Bouge-toi, connasse !

Il ouvre la porte, me jette sur la banquette et s'engouffre après moi dans la voiture.

Je n'arrive même pas à crier. J'articule avec peine :

— Prenez tout ce que vous voulez… Prenez tout. Ma voiture, mon argent…

— Ta gueule, tu veux ?

Puis il lance à son complice :

— T'as fouillé le sac ? Tu prends tout, connard ! T'es con ou quoi ?

Le deuxième agresseur exécute les ordres de son leader. Puis il passe lui aussi à l'arrière du véhicule. Il me bloque les poignets d'une main, et me plaque sur le visage mon chapeau noir, récupéré sur le tableau de bord.

Je suis morte de trouille. Se faire dévaliser, bon – ce n'est pas drôle, mais on y survit. Mais pourquoi s'acharnent-ils, à présent ?

Claquements de portières. Le premier agresseur se met au volant de ma voiture, et démarre. Je sais qu'à la sortie du parking, il y a une ambassade, au coin de ma rue. Je tente de lever la tête. Aperçois, dans un éclair, la silhouette des CRS qui gardent les lieux…

J'ai cru, un court instant, que ce cauchemar allait s'interrompre. Le chauffeur, qui a senti mon geste, se retourne à demi tout en conduisant.

— Si tu tentes quoi que ce soit, salope, je te plante !

Je sens bien que ce n'est pas une menace en l'air, et je ravale le cri que j'allais pousser pour prévenir les policiers. La voiture s'éloigne. Je suis entre leurs mains.

J'ai la tête sur les genoux du second type. Je sens mon cœur qui bat à la folie. J'étouffe. Tente de respirer – chaque effort me met davantage encore à bout de souffle. Dans le noir. La peur de crever.

– Ton prénom, c'est quoi ? demande le chauffeur.

Je ne sais pas pourquoi j'ai menti. Peut-être pour préserver un semblant d'autonomie.

– Kate… (Celui qui me tient relâche légèrement sa pression, pour que je puisse répondre. Je respire enfin. Je tente d'argumenter.) Écoutez… Vous savez, j'ai un petit ami qui m'attend. S'il ne me voit pas, il va s'inquiéter. Se lancer à ma recherche…

Et là, l'idée m'a saisie que je me racontais à moi-même autant de bobards que j'essayais de lui en faire avaler. Tu parles ! Se mettre à ma recherche ! Quand je lui avais dit que je ne savais pas à quelle heure je rentrais !

– Ferme-la ! Et arrête de pleurer ! Ça m'bouffe !

La voiture s'arrête – devant un distributeur de billets. Le chef s'adresse au type qui me tient.

– Tu as la carte de crédit ? Donne ! Donne la carte de crédit, j'te dis ! Puis à moi : Je te préviens. Tu as intérêt à me donner le bon code. Tout de suite. Sinon, tu vas voir un peu…

Je ne cherche pas à finasser. J'ai déjà vu.

– 12-65…

Toujours ma tête plaquée contre ses jambes. Il pue, et j'ai un haut-le-cœur. Je ravale ma nausée – comment faire autrement ? Je n'arrive pas à penser à autre chose qu'au couteau. Qui le tient ? J'ai horreur des armes, encore plus des armes blanches.

La portière de la voiture claque. Je sursaute. J'écoute. Les gestes. Leurs voix…

Que vont-ils faire de moi ? Pourquoi ? Pourquoi moi ?

Une fois le premier retrait effectué, le type rentre dans la voiture.

— Putain, on est pas vernis ! Deux mille balles ! Pas moyen de lui faire cracher davantage. Mauvaise soirée.

Il reprend le volant. Celui qui me tient m'a replaqué le chapeau sur le visage, et j'étouffe à nouveau. J'étouffe d'autant plus que je n'arrive pas à m'empêcher de pleurer. La question. Toujours la question. Où vont-ils ? Où m'emmènent-ils ?

Deuxième arrêt. Deuxième distributeur. Seconde tentative – en vain, apparemment. Le chef s'excite.

— Soirée de merde ! gémit-il en rentrant dans la voiture. Cette saloperie n'a voulu me donner que mille balles de plus. Que dalle… Une soirée à la con !

La seconde suivante, il me touche la cuisse. Je porte un pantalon noir, en laine, rayé finement de rouge.

— Ou peut-être pas, hein ?

J'ai craqué. Je sanglote pour de bon.

— Laissez-moi, je vous en prie ! Prenez ma voiture, mais laissez-moi !

— On t'a rien demandé, dit-il. Ferme ta gueule.

La voiture redémarre. Le type à l'arrière lance soudain :

— Et les empreintes, mec ? Tu y as pensé ?

— Je m'en tape, réplique le chauffeur. Je risque rien. J'ai pas d'casier.

Un petit rire assez satisfait.

— Pourtant, je pourrais. Je pourrais être fiché à la grande criminalité, mon pote !

Mon cœur bat la chamade. Dans le noir. Je tremble sans parvenir à me maîtriser.

– Toi, peut-être, mais moi, je me suis déjà fait pincer !

– Alors, c'est ça, hein ? T'as peur ? Ben dis-le, que t'as peur !

– Me fous pas la pression, mec… Tout ce que je te demande, c'est ce qu'on va faire.

– On verra. Laisse-moi réfléchir. Fais ce que j'te dis, c'est tout !

Je pleure toujours en imaginant le pire. Ça ne plaît vraiment pas au chef.

– T'as pas encore compris, connasse ? T'entendre pleurer, ça me fout les boules ! Putain, t'as de la chance que j'conduis…

On dit toujours : voir sa vie défiler devant ses yeux. Et c'est justement ce qui m'arrive. Persuadée que je vais y passer. Ma vie vagabonde dans ma tête. Défile. Mes proches. Mes amis. Ma vie. Et ma mort prochaine. Et rien à faire. Rien. Absolument rien. Face à deux cinglés. Et ce couteau… Je suis un objet. Seule. Sans défense. Cette balade est la plus longue – la plus courte de ma vie. L'espoir, aussi. Vital. Inévitable. Et l'attente. Savoir si je vais rester en vie. Savoir ce qu'ils vont me faire. Comment vont-ils s'y prendre ? La lame du couteau qui me creuse la tête. Le gouffre.

Je finis par retrouver un certain calme. J'en profite pour reprendre ma respiration.

La voiture ralentit. Je me concentre sur les bruits, à l'extérieur. J'essaie de deviner où nous sommes. Des pierres sont projetées sous la voiture. Chemin de terre. Non ! De graviers. Je ne sais rien. Aucune voix humaine à l'horizon.

Je me calme, et l'instant d'après, je panique. La voiture s'arrête. Le moteur est coupé. Bruit des clés. Le chef sort de la voiture. Un courant d'air froid, humide, sur mon bras gauche. Il claque la porte.

Le deuxième type retire le chapeau de mon visage. Les fenêtres. Pleines de buée. Aucune visibilité. Sinistre. Le type sort du véhicule, en me laissant seule. Je claque des dents. Il fait froid. J'ai peur. Ils murmurent quelque chose. Je n'entends rien. Le chef rentre dans la voiture, et me soulève la tête, par les cheveux.

— Regarde, dit-il. Regarde bien, dehors. Qu'est-ce que tu vois ? Que dalle ! Il n'y a rien. C'est vide. Le désert. Pas la peine de crier, personne peut t'entendre.

Il me tire par le bras, et me montre la direction du pare-brise.

— Tu vois, en face de toi ? Allez ! Merde ! Regarde, j'te dis ! Il y a un ravin. Alors, écoute bien. Maintenant, si tu ne fais pas ce qu'on te dit de faire, tu vas exploser, dans ce ravin, à l'intérieur de TA voiture.

Il me caresse le genou. J'ai enfin compris. Je ne veux pas comprendre.

Il surgit de nouveau.

Il s'allume une cigarette. Me regarde. Il se penche vers moi comme s'il voulait me mordre.

— Mmmm. Tu sens bon, en plusss…

— Qu'est ce que vous voulez ?

Il me jette un regard noir, en me jaugeant, des pieds à la tête. Et il se met à rire.

Je pleure.

– Vous allez me violer, c'est ça ? Et qui me dit que vous ne me tuerez pas ensuite ? Si je dois crever, je préfère encore exploser dans ma voiture, sans être… salie…

Je le sens un peu déstabilisé – ou est-ce une idée que je me fais ? Il sort de nouveau, pour discuter avec son comparse. Je réagis dans la seconde. Je me relève de la banquette arrière, j'étends la main à l'avant, je condamne toutes les portes de mon véhicule. Tous les moyens sont bons. Détourner l'attention. Prolonger mon existence. À la minute. À la seconde près.

J'entends un éclat de rire. La portière avant s'ouvre. Le chef, en ricanant, agite le trousseau de clefs dans sa main.

La porte, en s'ouvrant, a actionné le plafonnier. Je le distingue mieux. Une trentaine d'années. Type nord-africain. Des yeux très noirs. Le visage grêlé. Une brute.

– Pas de chance, hein ! C'est moi qui ai les clés. Alors ? T'as réfléchi ? Si tu ne veux pas de nous trois, il y a le reste de la cité. Une bonne trentaine de gars. Ils attendent tous ta réponse…

Il me nargue. Puis sa voix redevient coupante, inflexible.

– J'te laisse le temps d'une clope pour réfléchir. J'reviendrai pas sur ma décision.

Il claque la porte.

Je suis la juge et la condamnée. Condamnée à mort. Mourir. Vivre. Je m'imagine morte. Je les ai vus. Je peux les reconnaître. Ils peuvent faire de moi ce qu'ils veulent. Et puis me supprimer. Sans laisser de traces.

Alors, ils sont trois ? Bien sûr, l'autre suivait dans leur voiture ! Quelle conne ! Trois. Ou trente. Je pense à Jackie, je pense que je vais la rejoindre – où que ce soit – là-bas. Plus d'espoir. Ni Dieu, ni personne pour me sortir de là.

Alors, me laisser faire… rester calme, souverainement calme. Ils s'excitent dès que je m'excite. Faire semblant. Par instinct de survie. Je me raisonne, comme si je m'adressais à une autre – la juge et la victime, face à face – Li Lou… « Tu vas vivre une chose effroyable. Mais ce corps n'est pas à toi. Il ne t'appartient pas. Ce n'est pas le tien. C'est le corps d'une jeune femme qui ne te ressemble pas. Tu vas faire comme si tu jouais un rôle. Tu vas jouer la comédie. Comme l'ont fait tes grands-parents. Tu ne seras pas victime, tu seras spectatrice… »

Mon unique chance de rester en vie.

La porte du véhicule s'ouvre brusquement. C'est lui. Le meneur. Des trois. Ou des trente.

– Alors, t'as réfléchi ?

Je suis incapable de dire oui. Alors, j'incline la tête.

– Déshabille-toi, tout de suite, ordonne-t-il.

Il ressort du véhicule en laissant la porte entrouverte. J'ai froid. Je tremble de froid.

Il revient cinq secondes plus tard. J'ai enlevé le haut. Mon pull noir. Le tee-shirt que j'ai dessous.

Il accroche du doigt la bretelle du soutien-gorge.

– J'ai dit : tout ! Tu enlèves tout.

Et il reste là, à mater, pendant que j'ôte mes chaussures, mon pantalon, et la lingerie. Il regarde avec l'air d'un client dans une boucherie.

« Ce n'est pas moi, me répété-je. Pas moi. L'autre, c'est de la viande… »

Il se vautre sur moi, défait la boucle de son jean, descend la braguette. Il m'embrasse sur la bouche. Je tourne la tête, je me noie dans mes cheveux. Je le sens contre mon ventre. J'ai mortellement peur. Et une honte terrible…

– Si tu ne fais pas ce que je te dis, menace-t-il, tu sais ce qui t'attend.

Alors, j'ai consenti. Pour survivre.

Il m'embrasse, partout. La poitrine. Il m'écarte les cuisses, d'une main, me fouille le sexe. Il a les ongles longs. Il paraît déçu. Il se relève à moitié. Il a une érection incertaine.

– Suce-moi, salope, lance-t-il.

Insoutenable. L'odeur, âcre, rance. Je retiens ma respiration, en m'exécutant. Ce n'est pas moi !

Il me donne un préservatif.

– Avec la bouche, ordonne-t-il.

Sans doute veut-il se protéger, LUI ! Forcément : une fille qui accepte trois types, c'est forcément une salope… Je lui enfile délicatement la capote, pour ne pas risquer de l'abîmer, d'un coup de dent. Éviter toute contamination. Je voudrais mordre son sexe. Le lui couper – lui couper l'envie de s'en servir. À jamais.

Il me saisit par les cheveux.

– Eh ! Va plus doucement.

Un émotif. Il joue au dur, mais c'est un rôle, pour lui aussi. Il a dû avoir envie d'éjaculer tout de suite. Ça lui gâterait le plaisir.

Il continue de me tripoter. Il m'embrasse à nouveau, et je feins de coopérer. Ce n'est pas moi. Il est mal rasé. Ses cheveux sont fins. Il empeste le tabac. La sueur. Il a un regard lointain. Il a plissé les yeux, concentré sur ce qu'il fait. Rester maître de lui. Le chef !

Il a une forte musculature. Il est lourd, puissamment bâti. Impossible de me débattre. Seule. Contre cet homme. Contre tous.

Il me pénètre. La sensation d'arrachement. Comme s'il me retournait le vagin à l'envers. L'horreur. Je sens mon ventre se fendre en deux. Je pousse un cri de douleur.

– Ça te plaît ? Hein, dis que ça te plaît…

– Oui… Oui, ça me plaît…

C'est à cet instant que j'ai sauvé ma vie.

– Tu aimes la sodomie ?

– Non ! J'éprouve plus de plaisir par… par-là… Par-devant…

Et c'est tout ce qui compte, pour lui. Me faire jouir. Il pousse. Il veut m'entendre gémir. D'autres manœuvres sexuelles sordides. Il éjacule enfin dans le préservatif.

Il se retire de moi. Retire sa gaine de latex. Remet son pantalon.

Il me regarde. Crucifiée.

– Tu restes comme ça, ordonne-t-il. Tu bouges pas.

Il sort, en balançant son préservatif avachi entre ses doigts. Trophée de guerre…

Un deuxième type entre. Celui-là, je ne l'ai pas encore vu. Il me regarde sans rien dire. Je pleure sans sanglots. Juste les larmes qui coulent.

Il se penche sur moi, il m'embrasse dans le cou en me malaxant les seins. Il est plutôt fluet. Il porte un col roulé blanc, épais. Lui aussi pue le tabac et la cocotte. Qui sait, on se fait beau, pour un tel événement…

Il déboutonne son jean immédiatement. Je lui demande s'il a un préservatif. Il me le donne. Je défais l'emballage, je sors le bout de caoutchouc, je me penche… Et je vois tout de suite que le préservatif ne tiendra pas. Il a une verge étroite, très fine. Je me suis inquiétée.

Je fais semblant, comme pour le premier. Mais le type est moins compliqué que son chef – moins violent aussi. Il n'y voit que du feu.

C'est un rapide. Comme prévu, le préservatif n'a pas tenu. Je m'affole.

Il se relève, et se reboutonne. Assez content de lui et de moi.

– Quand tu repartiras, prends derrière toi, à gauche…

Je reprends espoir. C'est peut-être la fin du cauchemar. Je cherche à me revêtir.

– Hé ! Je t'ai indiqué le chemin pour repartir, mais ce n'est pas fini ! Tu bouges pas !

Il se rhabille, récupère le préservatif entre mes cuisses et sort du véhicule.

La porte s'ouvre à nouveau. Le troisième. Celui qui a plaqué ma tête sur ses genoux tout le long du trajet. Il sourit. Je me sens sale, sale jusqu'aux os.

– Eh ben, on voit bien que t'es pas consentante ! Ce n'est pas dans tes habitudes de faire ça, hein !

Il me demande comme les autres de lui faire une fellation, de lui enfiler un préservatif, et il me pénètre à son tour. La déchirure est forte de nouveau, et encore plus profonde que les précédentes. Je crie ma douleur en silence. Je n'ai pas le droit de crier, sinon je meurs.

– Putain, dit-il quand il a fini, c'est pas mauvais de se faire essorer le poireau !

Très content de lui.

Deux heures ! Ce cauchemar dure depuis près de deux heures. Il y a de plus en plus de buée sur les vitres.

Le leader revient, et met les clés sur le tableau de bord.

– Tu vois qu'on peut tenir notre parole…

Il s'est relevé, il est sorti en laissant la portière ouverte. Je serre mon pull contre moi. Je le regarde s'éloigner.

Joyeux Noël !

Le premier réflexe, c'est de m'enfermer dans ma voiture. De peur qu'ils reviennent. J'enfile mon pantalon, mon pull et mes chaussures. Juste l'essentiel. Je me mets au volant. Je prends le volant immédiatement.

Je regarde autour de moi. Je ne vois pratiquement rien, à travers la buée. En roulant sur le chemin de terre, je fais cinquante mètres. Et je m'arrête. Je ne peux pas conduire. Je tremble, j'ai des sortes de spasmes. Je sanglote.

Je me suis mise à crier. Toute seule, la tête sur le volant. Crier. Que ça sorte. Que ça sorte de moi. De toutes mes forces.

Je me suis donné quelques minutes. J'étouffe, mais je n'ose pas ouvrir la fenêtre. Ils peuvent revenir. Ils peuvent changer d'avis. Je dois partir maintenant. Je garde toujours à l'esprit qu'ils sont dans les parages, à m'observer, à rire, et qu'ils peuvent resurgir à tout moment. Je les ai vus, je peux les reconnaître. Ils peuvent parfaitement revenir sur leur décision, pour effacer toute trace de viol, toute trace de crime. Le crime efface le crime. Un coup de couteau… C'est si facile !

Je me cramponne au volant avec les dernières forces qu'il me reste. Et je roule, je roule au milieu de mes larmes, secouée de hoquets, tremblant des pieds à la tête. J'essaie de me rappeler le chemin que m'a indiqué le deuxième type. J'aperçois quelques lampadaires, perdus dans la nuit. Je pleure, sans savoir où je vais. Je suis complètement perdue. En arrivant sur une intersection, je me trouve sur une route départementale. Je ne reconnais rien. Je suis perdue.

Je me plante donc en plein milieu de la route, mes feux de détresse allumés. Et finalement, je vois une voiture arriver. Mon Dieu, et si c'étaient eux, eux encore…

Il y a quatre jeunes à l'intérieur – deux types à l'avant, deux filles à l'arrière. Je fais de grands signes pour qu'ils s'arrêtent.

— Aidez-moi ! Ils vont me tuer. Ils vont me tuer...
— Qu'est-ce qui vous est arrivé ? Qui va vous tuer ?
Je pleure frénétiquement. Convulsivement. J'arrive à bafouiller :
— Donnez-moi un téléphone, s'il vous plaît...
Le type assis à côté du chauffeur se penche vers moi.
— Viens, monte, on y va, on va les retrouver tout de suite. On va partir à leur recherche...
— Non ! Non, ils sont armés. Ils peuvent vous tuer aussi. N'y allez pas, c'est dangereux !
Le type me tend son mobile. J'appelle dans un premier temps la police. Puis mon père. Il est 4 h 45 du matin.
— Papa ?
L'air endormi.
— Que se passe-t-il ? Tu pleures ?
J'ai respiré un grand coup, et j'ai ravalé mes larmes.
— Qu'est-ce qui se passe ? insiste-t-il.
— Ils... Ils m'ont violée, papa. Ils veulent me tuer.
Mon père a cru que mes agresseurs étaient toujours là.
— Qu'est-ce qu'ils veulent ? Du fric ? Combien veulent-ils, hein ? Passe-moi tout de suite ces salopards.
— Non... Mais... Ils sont partis, ils ne sont plus là, mais ils ne doivent pas être loin. Viens me chercher.
— Tu es où ?
Et moi, lamentable, en jetant un coup d'œil désespéré sur la banlieue anonyme où ils m'ont traînée :
— Je ne sais pas ! Je ne sais pas !

J'aperçois finalement l'un des panneaux du rond-point.

– Je suis sur une route départementale... à Neuville...

– Bon, j'arrive tout de suite !

Je raccroche. Dans la voiture ne restent que les deux filles. Les deux types sont sortis, dans l'espoir de retrouver mes agresseurs. Et les policiers ne sont toujours pas là !

En voyant que les forces de l'ordre tardent à arriver, l'une des jeunes filles me propose de m'accompagner à la gendarmerie la plus proche. Je reprends la conduite de ma voiture, elle monte à côté de moi. Je jette un coup d'œil dans le rétro : bon sang, on dirait que l'on m'a passée à tabac ! Le rimmel a coulé. Les deux yeux au beurre noir. Noir de fatigue. Noir de honte. Noir. Les cheveux en bataille. Les mains tremblantes.

Je conduis à grand-peine. La fille m'indique le chemin. Je roule à 30 ou 40 à l'heure, je tremble sur le volant, je suis bien incapable d'aller plus vite. Les rues sont toujours vides. Sombres.

À la gendarmerie, il faut encore patienter, parce qu'elle n'est pas encore ouverte. Finalement, un gendarme pointe le bout de son nez, et il comprend tout de suite.

Il m'a conduite immédiatement à l'hôpital de Pontoise, à proximité.

Les policiers que j'avais appelés, du portable, sur la route, je les attends encore.

Entre-temps, un accident venait d'avoir lieu dans le tunnel de la Défense. Un banal froissement de tôles.

Mon père, une fois notre conversation terminée, avait sauté dans sa voiture à toute vitesse, en direction de Neuville-Pontoise. Dans le tunnel de la Défense, à cause de l'accrochage, les automobiles roulaient sur une seule file. Il s'est engagé là-dedans à vive allure, et a heurté un autre véhicule qui arrivait en sens inverse.

Résultat, la mâchoire à moitié cassée, un gnon terrible. Là, les gendarmes sont arrivés à toute vitesse, pour constater les dégâts. Mon père hurlait :

– Vous me faites chier ! Ma fille vient de se faire agresser. Vous attendez quoi ?

Anne-Marie, apprenant que son mari venait d'avoir un accident, s'est rendue sur place sans tarder. Et moi, j'étais à l'hôpital. Les criminels eux, couraient toujours.

Michel est arrivé à l'hôpital une demi-heure plus tard. Il a hurlé :

– Où est ma fille ?

– En observation, monsieur, a répondu un médecin. Je viens de l'examiner. J'ai constaté la présence de multiples éraillures de la fourchette vulvaire, associées à un œdème vestibulaire important et à des pétéchies vaginales, lésions compatibles avec la répétition de rapports sexuels très récents. Et probablement non consentis…

Sardou n'est pas du genre à se laisser impressionner par du jargon médical.

156

– Je vous demande où est ma fille ? a-t-il insisté.
– Elle est à côté, laissez-lui quelques minutes avant de vous voir. Elle est encore sous le choc. Il le rassura – si l'on peut dire. Aucun spermatozoïde n'avait été retrouvé, ou du moins pas encore, sur les lames du prélèvement vaginal effectué. Cela corroborait mes déclarations quant à l'usage de préservatifs. « Je précise, monsieur, que les lésions constatées entraîneront une incapacité totale de travail, d'au moins dix jours. Mais il n'y a pas de quoi s'inquiéter... »
Un infirmier a rejoint mon père dans le couloir de l'hôpital, l'a examiné et a soigné sa mâchoire. Mon père était à bout de nerfs. Il s'est mis à faire les cent pas.

Quand ils en ont eu fini avec moi dans la salle de consultation, ils m'ont dit de me rhabiller. L'idée de renfiler ces vêtements sales, souillés, me rebutait. On a frappé à la porte.
– Un moment s'il vous plaît...
Je me suis dépêchée de me refringuer.
– Vous pouvez entrer, maintenant.
C'était mon père. Il est entré, m'a regardée. Je l'ai regardé. Ma gueule. La sienne. M'observe. Sa gueule. La mienne. Ce visage qui ne ressemblait pas à celui qu'il connaissait, et sa tête à lui qui n'était pas exactement celle dont j'avais le souvenir... Deux catastrophes ambulantes... Il voulait me serrer contre lui, et n'osait pas le faire. Et moi, je n'y arrivais pas. J'avais honte de moi. Honte de ces odeurs. De ce qui venait de m'arriver.

Et la première chose qu'il a trouvée à dire :
– Tu sais ce qu'il te reste à faire !
Nous nous étions compris sur un regard. Dans la famille, on ne s'arrête pas en chemin, quel que soit l'obstacle. Je savais que c'était cela qu'il voulait dire. C'était à chaque fois la même chose. Mais cette réflexion-là, à ce moment précis, ne signifiait rien – ou si, de la merde. Je haïssais mon père, en cet instant. Il ne se rendait compte de rien.

Moi, je n'avais même pas la force de me révolter. La force de rien. J'étais encore sous le choc, et refusais tout ce que je pouvais entendre. Je le refusais lui aussi. Sans réaction. Muette. Je venais d'échapper à la mort. Et ça, c'était plus important que tout le reste.

Quand nous sommes sortis tous les deux de la salle, Anne-Marie était là. Elle m'a embrassée et serrée contre elle. Un producteur aussi était là, mais je lui ai fait comprendre, d'un œil, que sa présence était déplacée, en ce moment – que je lui savais gré de se soucier de la situation, mais que j'allais m'en remettre à mes proches les plus proches.

Et aux gendarmes. Plusieurs membres de la police judiciaire étaient déjà présents, dont un adjudant à qui on venait de confier l'enquête.

– Vous devez faire votre déposition, mademoiselle, nous aider à faire des portraits-robots des criminels, m'a-t-il prévenue. Mais vous allez d'abord nous emmener sur les lieux du crime…

J'ai frissonné à l'idée.
– Non, je ne peux pas…
Il a insisté.

– Nous devons trouver des pièces à convictions qui permettraient de retrouver vos agresseurs…
– Pas maintenant, je sors à peine…
Mais c'était un têtu, cet homme. Et combien je le remercie, aujourd'hui, d'avoir tant insisté !
– C'est très important d'y aller maintenant. Si nous attendons demain, il sera peut-être trop tard, l'humidité de la nuit pourrait faire disparaître des empreintes…
Je n'avais qu'une chose en tête : me laver. Je voulais effacer. Détruire toute trace. Ces odeurs qui imprégnaient ma peau. Je ne voulais rien d'autre que prendre un bain.

Il est déjà 5 h 30 du matin. Je suis hachée. Éreintée. Mais ils arrivent à me traîner jusqu'à ma voiture. Les experts sont déjà à l'œuvre.
– Alors, on va où après ? demande l'adjudant.
– Je ne sais pas… Ils me cachaient les yeux avec mon chapeau…
Je finis par reconnaître ce fameux chemin de terre – le bruit des gravillons ! Puis l'endroit exact.
L'adjudant donne des ordres à ses collaborateurs.
– Photos. Les traces de pneus de la Twingo sont bien récentes et présentes…
Deux autres policiers ont déjà trouvé deux préservatifs usagés, ainsi que deux mégots de cigarettes.
De retour à la gendarmerie. Je dois encore faire ma déposition officielle, et les aider à dresser les portraits-robots de mes agresseurs.
Je veux partir, je veux me laver. Toute ma vie est suspendue à une idée fixe : prendre un bain. L'horloge

vient de passer midi. L'enquête a commencé depuis plusieurs heures.

De retour à la maison familiale, l'un de mes frères m'attendait. En le voyant, je me suis effondrée en larmes – j'avais l'impression d'être devenue une fontaine, un fleuve de larmes que rien ne saurait tarir.

N'empêche que mon frère a répété, mot pour mot, les propos de mon père, à l'hôpital : « Tu sais ce qu'il te reste à faire… »

Anne-Marie m'a fait couler un bain avec toutes sortes de sels parfumés. En rentrant dans la salle de bains, j'ai ajouté moi-même toutes les mousses, tous les flacons – dans leur totalité. J'ai ôté mes vêtements, je les ai balancés dans un coin, pour les brûler ensuite. Je ne voulais personne. Pas même une femme. Le seul contact que je désirais à ce moment précis, c'était l'eau et le savon. Une fois dans l'eau, j'ai frotté et frotté encore, au gant de crin. Jusqu'au sang. Je voulais me débarrasser de leur odeur – de l'empreinte de leurs doigts.

Je suis sortie, et je me suis jetée sur le lit. Ne voir personne… Rester seule. J'ai entendu depuis ma chambre mon père, dans le hall de l'entrée, dire à Anne-Marie d'un ton ferme :

– Ma fille va rester ici quelque temps.

– Bien sûr Michel, a-t-elle répondu.

– Je vais voir ce qu'elle fait, a-t-il continué ; elle a des médicaments à prendre. Et puis il faut qu'elle se repose.

Il est venu frapper à la porte.

– Je peux entrer ?

– Oui.

J'étais pelotonnée dans mon lit. Il est entré et il s'est assis sur le bord.

Il avait une gueule de boxeur méchamment sonné. Nous étions tous les deux des loques humaines. Vêtus, tous les deux, de peignoirs de bain.

J'ai saisi qu'il ne savait pas encore ce qui s'était réellement passé. Et qu'il voulait savoir.

– Ils étaient trois, ai-je commencé. Tout s'est passé dans ma voiture. J'ai vraiment cru que j'allais y passer. Ils m'ont fait... tout ce qu'il y a de pire.

Mon père a baissé les yeux. Il m'a pris la main.

– C'est fini, maintenant. (Les hommes ont une certaine difficulté à comprendre qu'il y a des choses qui ne sont jamais finies, que l'on porte à jamais avec soi.) On va les retrouver, ces salopards, a-t-il ajouté. On les aura. Tu sais, mon ange, je t'aime.

Après, le silence parlait de lui-même. Je me sentais brisée.

– Il faut que tu prennes tes médicaments. C'est juste un traitement préventif. Mais il faut que tu les prennes.

– Oui, je sais, c'est moi qui ai demandé qu'on me prescrive un traitement de séropositif. Et le bureau ? Tu as appelé le bureau ?

– Oui, j'ai eu ton directeur de la rédaction. Ils pensent tous beaucoup à toi.

Nous nous étions dit tout le superflu. L'essentiel aussi, mais il ne tenait pas en quelques mots.

– Je suis fatiguée, ai-je ajouté. Je voudrais dormir.

Je dormis. Je glissai longtemps de cauchemars en visions dépravées.

Dans la soirée, je suis descendue, tout doucement, sans que personne ne m'entende. Tout le monde était dans le salon. Quelques secondes de silence. Personne ne s'attendait à me voir si vite.

– Tu as dormi un petit peu ? m'a demandé mon père.

– Oui…

– Ce serait bien que tu appelles ta mère. Je l'ai prévenue pendant ton sommeil.

– Oui…

Je parlai à ma mère sans vraiment lui parler. Veux-tu que je vienne te voir ? m'a-t-elle demandé. J'étais dans un état second. Incapable de dire réellement ce que je pensais. Pourquoi n'était-elle pas déjà là ? Et je me suis entendue répondre :

– Non, non, c'est pas la peine.

Quelle mère ne se serait pas rendue au chevet de son enfant, après un viol, une tentative de meurtre – et sans lui demander son avis ? La mienne ! Elle a bien pris l'avion, mais pour partir en vacances en Californie, chez un ami.

« Le 25 décembre 1999 à 4 h 45, la gendarmerie de Cergy était avisée de la commission à Neuville-sur-Oise d'un viol par trois individus armés d'un couteau sur la personne de Mlle Cynthia Sardou. Rédactrice-Journaliste à Paris-XV$^e$. Elle quittait son travail aux alentours de 2 h 15 et reprenait son véhicule pour rentrer chez elle à Neuilly-sur-Seine.

« Son audition permet d'apprendre qu'elle avait été enlevée par deux individus qui l'avaient agressée à 2 h 30 sur le parking privatif de son domicile à Neuilly-sur-Seine (92), que les individus l'avaient emmenée jusqu'à Neuville dans son propre véhicule où ils semblaient avoir été rejoints par un troisième. Les trois hommes violaient la victime à plusieurs reprises.

Lors du trajet entre Neuilly-sur-Seine et Neuville, les deux premiers individus lui extorquaient sous la menace le code confidentiel de sa carte de crédit et effectuaient un retrait de 600 euros à 2 h 43, à la Garenne-Colombes (92). Après les faits de viols, les auteurs quittaient les lieux en emportant la carte de crédit et le téléphone portable de la victime, non sans avoir pris soin de jeter la carte SIM de celui-ci. Deux nouveaux retraits frauduleux étaient effectués au centre commercial "Les Trois Fontaines" à Cergy, respectivement à 4 h 15 et 4 h 17.

« La diffusion des trois portraits-robots établis conduisait à l'interpellation de trois suspects qui étaient finalement mis hors de cause. Quant à la présentation de différentes photographies du fichier ainsi que d'individus interpellés suite à la diffusion des portraits-robots, elle ne permettait pas à la victime de reconnaître ses agresseurs. »

L'enquête piétinait.

Les gendarmes avaient été surpris par l'exactitude de mes premières déclarations. Malgré le choc, j'avais une mémoire irréprochable. Les enquêteurs avaient même des doutes sur les détails. Ils étaient trop précis. La couleur du véhicule qui me filait, la plaque d'immatriculation, de couleur rouge. Les portraits-robots, d'une précision hallucinante, les vêtements que portaient les agresseurs. Des doutes même sur les lieux du crime, que j'avais retrouvés par miracle depuis la route départementale où mes quatre sauveteurs m'avaient recueillie. Et encore, mon chapeau sur les yeux m'empêchait de me rappeler quoi que ce soit avant le délit lui-même. J'avais effectivement donné beaucoup d'éléments.

C'était comme si j'avais vécu toute cette scène au ralenti. Avec tout le temps nécessaire pour qu'elle se fige en moi. Et c'était exactement ce qui s'était passé. L'épisode était imprimé dans tous ses détails dans ma mémoire – et dans ma chair. Au fer rouge.

Certains pensaient que toutes ces précisions remettaient en cause « l'incohérence », le « caractère improvisé » du crime. Ne les avais-je pas un peu provoqués ? L'adjudant me l'avait avoué lui-même :

– Il est rare qu'une victime de ce genre de crime donne autant d'informations… Tant d'autres crimes de cette nature sont parfois montés de toutes pièces…

Lui ne douta pas longtemps. Je n'étais pas une mythomane. Mais j'avoue que la simple idée que l'on vous soupçonne d'être à l'origine de votre propre viol est révoltante.

Ils me montrèrent des photos. Des centaines de photos. Des centaines de visages de criminels. On n'a pas idée du nombre de détraqués sexuels déjà archivés.

À travers ces images, je détestais ces hommes, j'aurais voulu les tuer. Tous, les tuer…

Sur ces entrefaites, une tempête balaya la France, réduisant en allumettes des forêts centenaires, accumulant les morts et les dégâts. Je me pris à rêver que les vents m'avaient vengée, que les trois hommes avaient été écrasés sous un pylône – emportés dans l'œil du cyclone…

Le jour suivant, l'un des proches d'Anne-Marie fêtait son anniversaire. À cette occasion je revis pour la première fois mon petit ami. Je mangeai toujours aussi peu, et il termina ma part de gâteau. Ça me faisait drôle de le revoir. Avant l'accident, notre relation se portait mal, mais nous étions encore ensemble, officiellement. Il ne savait pas comment réagir. D'abord, il m'avait crue morte. Puis mon père lui avait demandé d'être près de moi, de s'occuper de moi – ce qu'il fit, mais uniquement devant la famille. Nous nous baladions ensemble dans un parc situé à proximité de la maison familiale :

– Je suis très impressionné par la manière dont tu réagis, me confia-t-il durant l'une de ces balades.

J'ai cru bon d'aborder le sujet de notre relation – sauf que je ne savais pas comment le faire.

– En ce qui nous concerne… je ne sais pas… je ne…

Il a cru m'aider :

– Mais notre relation n'est même plus à l'ordre du jour !

Ses paroles ne m'étonnaient pas sur le fond, mais la manière dont il les avait prononcées ! Ce ton d'évidence ! Une claque de plus. Il me lâchait au pire moment.

Cette attitude n'a pas facilité les choses. Il s'est efforcé quelque temps de donner le change. Il m'appelait – à n'importe quelle heure du jour ou de la nuit, sans se préoccuper une seconde de mon traitement VIH et anti-biotique. C'était encore un de ces hommes qui estiment que les femmes sont là pour être à leur botte. Ce fut donc d'autant plus facile pour moi de rompre ensuite.

Ma décision de retravailler dérangeait au départ mon père, bien qu'il me conseillât le contraire quelques jours auparavant. Mais je voulais retrouver mon libre arbitre. Un viol, c'est l'écrasement de toute liberté, l'annihilation de toute volonté. Il me fallait recommencer à vouloir, si je voulais me libérer, très vite, de cette sensation d'écrasement. Je voulais me consacrer à l'information, et à rien d'autre. Retrouver une ambiance professionnelle, me reconnecter à la vie, au monde. Bien sûr, j'étais – définitivement – quelqu'un d'autre. Mais j'étais toujours en vie. Je devais renaître. Je devais me servir de cette seconde existence pour effacer jusqu'au souvenir…

Mon père et Anne-Marie étaient partis aux sports d'hiver. Je devais m'y rendre avec eux, puis j'ai décidé de rester. Mes deux frères étaient là, nous étions tous dans le salon. La police judiciaire se pointe. Affolement dans les rangs.

– Mademoiselle, m'avertit l'adjudant, la presse veut s'emparer de votre histoire. Ils veulent faire un article sur vous.

Panique.

Mais le pire, précise-t-il, c'est que les journalistes sont pour la plupart mal informés. Ils disent entre autres que c'est un ancien petit ami qui vous aurait battue auparavant et le même qui aurait commis ce crime. Comment savait-il que mon ex-petit ami m'avait fracturé deux côtes, ce fameux soir d'inconscience alcoolique ? Personne n'était au courant. Je n'avais jamais rien dit. Je n'ai rien rétorqué, mais l'idée que cette histoire sorte au grand jour m'a rendue nerveuse. Ça me perturbait. Je n'étais pas prête à assumer ça. L'adjudant, quant à lui, avait peur que les journalistes parlent trop du déroulement de l'enquête. Les criminels couraient toujours, et c'était loin d'être une bonne nouvelle. Les éléments étaient encore trop minces, trop flous.

Sur ce, le téléphone a sonné. Mon père venait aux nouvelles.

L'adjudant lui a expliqué la situation. Ensuite, j'ai pris le combiné.

– On va appeler le directeur de la rédaction du journal, m'a proposé mon père. J'ai appris que des photos de toi ont été prises à la sortie de la gendarmerie, le lendemain de ton agression. Je te tiens au courant.

Il y eut vingt-quatre heures de doute, et d'attente. Anne-Marie Périer fit le maximum, expliquant que l'article pouvait court-circuiter l'enquête, ce qui était vrai. Mon père de son côté avait opposé à toutes les questions un démenti massif : il ne s'était rien passé ! La presse ne dévoila donc rien – mis à part l'accident de voiture dans le tunnel de la Défense (celui de mon père), information donnée aux fans, et pour cause – le chanteur avait dû annuler une représentation, au théâtre où il se produisait.

Les journalistes dérivèrent sur un autre sujet d'actualité – la tempête qui venait de raser la moitié de la France.

Je repris donc le travail.

Le premier matin, j'avais dû faire un effort surhumain. Plaire ne m'intéresse pas. Je m'y refuse. Sourire, il n'en était pas question. Mais la dignité reprit le dessus. Je ne voulais rien montrer. Rien dire.

La honte me collait à la peau. Les gens, dans la rue, au travail, savaient-ils ? Que savaient-ils ? Ne me regardaient-ils pas d'une manière bizarre ? Apitoyée ? Je portais des vêtements neutres. La parka de mon père. Longue. De couleur beige. J'aimais la porter. Elle avait une odeur familière. Je m'étais légèrement maquillée, ma coiffure était simple, mes cheveux châtain clair, mi-longs et raides. Les ongles faits. Un vernis transparent. Classique.

Ce premier matin-là, j'eus l'impression que le temps n'existait pas. Tous les regards se tournaient vers moi. Je prenais sur moi, décrochais un léger sourire, mais rien de plus. Je ne pouvais pas. Quand enfin je me retrouvai face à mon ordinateur, ma vie repartit de zéro. Je voyais les autres différemment. J'avais l'impression de les redécouvrir. Je ne percevais que l'essentiel de chacun d'eux. Leur essence.

J'étais devenue curieusement hypersensible aux senteurs. Les odeurs de papier, de journaux, de produits techniques s'emparaient de moi. Sinon, je me sentais épuisée. Mon corps fonctionnait au ralenti. Tout me demandait un temps infini. Aller à la cafétéria devenait une expédition himalayenne.

Mon esprit lui, fonctionnait à l'inverse. Je pensais plus vite que je n'agissais. J'anticipais les mots des autres. Je connaissais les questions et les réponses avant même qu'on ne me les pose. Mais sans pouvoir, moi, m'exprimer. J'étais comme interdite de parole. Les gens restèrent discrets. Très gentils. Très aimants aussi. Ils avaient compris qu'il s'était passé quelque chose de grave. Tous ces regards baissés devenaient gênants, à force de m'éviter. Le fait que je parle par monosyllabes, tout en les regardant fixement, ne contribuait pas peu au malaise.

Je rentrais à la maison familiale tous les soirs en taxi. Ce qui ne m'empêchait pas de regarder autour de moi, avant ma sortie. De scruter les rues, de scruter la nuit. Les criminels couraient toujours. J'avais peur. De tout. De la nuit. Du jour. De la pluie. Du froid. Des autres. De moi.

Vis-à-vis de mes confrères, je n'étais plus la même. J'avais perdu toute spontanéité. Le bonjour du matin était un effort chaque jour. Un simple contact physique – une main tendue – me bouleversait. Je fuyais.

On a commencé à chuchoter. Les cancans allaient bon train, dans mon dos. Dès mon arrivée, le ton des confidences à mi-voix baissait soudain, puis les gens se remettaient à parler à voix haute – trop haute.

D'autres ne savaient rien. Ils venaient m'embrasser, gentiment et surtout, sans prévenir. Je bondissais sur ma chaise. Retour immédiat à cette nuit d'horreur, flash sur le couteau. La main devant ma bouche. Face à mon bureau. Je poussais haut et fort ce cri du silence. L'instant suivant, je sortais sangloter dans mon coin, sans rien dire. Celui qui ne savait pas ne risquait pas de comprendre.

J'ai prétexté une énorme grippe, le danger de la contagion, pour éviter les embrassades matinales.

J'étais dans un état second. Les médicaments faisaient leur effet, physiquement et moralement. Et encore, mon traitement préventif ne faisait que commencer.

Le peu d'appétit que j'avais autrefois, je l'avais perdu. J'avais des comportements maniaques. Je me lavais les dents toutes les deux heures. Me lavais les mains après chaque cigarette – et je fumais davantage.

J'avais rangé au fond de l'armoire mes anciens vêtements, et j'en avais acheté d'autres. Stricts. Des cols roulés larges pour éviter de suffoquer à chaque inspiration, aux fibres épaisses, confortables. Des jupes longues. Des pantalons flottants. J'ai aussi changé de coiffure. Je me suis fait couper les cheveux, je les ai teints en châtain blond. Je ne me suis plus maquillée qu'à touches légères. Vernis incolore sur les ongles. Changer de physique m'aiderait peut-être à me supporter, à me regarder dans un miroir. Pourtant, sachant que mon père était très sensible au physique des femmes, je faisais des efforts permanents. Consciente aussi qu'à n'importe quel moment, il fallait que j'assume le fait d'être la fille de Michel Sardou en toutes circonstances. « Tu sais ce qu'il te reste à faire », avait-il dit. Je l'avais détesté, pour ce mot, à ce moment-là. Mais je savais ce que j'avais à faire.

J'avais à présent un défenseur, maître Philippe Lemaire. Un avocat dont le nom ne m'était pas inconnu – il était aussi l'avocat des Érignac, la famille du préfet assassiné en Corse. Il m'expliqua les procédures, le sens de toutes les démarches faites par le juge d'instruction et de la police judiciaire.

Les seuls éléments tangibles étaient les rapports d'examens scientifiques, les tests effectués sur mon véhicule, les quelques traces et empreintes laissées sur le volant. Les deux préservatifs trouvés sur les lieux avaient parlé : on avait l'ADN des violeurs – quant au troisième, on avait recueilli de quoi faire un prélèvement suffisant sur l'un de mes sous-vêtements.

Sur la voiture, les empreintes se superposaient et se brouillaient trop pour mettre un nom sur un criminel.

L'enquête était en suspens. On ne dit pas assez que, dans ce type de situation, la victime aussi est en suspens – entre deux mondes, celui de son agression, où elle réside encore tant qu'on n'a rien élucidé, rien jugé, et le monde de tous les jours, où elle est bien forcée d'évoluer.

Le premier médecin qui m'avait examinée le soir des crimes m'avait conseillé de consulter un psychiatre. J'avais de nombreuses réticences. J'avais en tête, comme tout le monde, l'image du patient qui s'allonge sur le sofa, et celle du psy griffonnant des grigris sur un bloc-notes, en attendant patiemment la fin de la séance pour toucher sa commission. Et je n'étais pas disposée à me confier. Pas à un inconnu, et encore moins à un homme. Je me suis donc rendue chez le docteur Gérard Lopez en traînant les pieds.

Il savait déjà tout de l'affaire, mais bien peu sur moi. La cinquantaine, les cheveux grisonnants, grand, une belle allure et une voix très douce. Très respectueux.

Son approche fut parfaite. D'une infinie patience, il me laissa toujours le libre choix de mes décisions, sans jamais m'imposer quoi que ce fût, sans jamais prétendre que c'était « pour mon bien ». Cela l'aurait mis dans la situation de l'agresseur. « Si je te bats, c'est pour ton bien », comme dit le livre d'Alice Miller. Une injonction répugnante.

Le psychiatre m'avait donné à son tour d'autres médicaments. Prozac, Lexomil, etc. – toutes les béquilles chimiques possibles et imaginables. Je me nourrissais de cachets. Ils m'aidaient à vrai dire à tenir le coup, à résister à l'information, à mon quotidien, et surtout à dormir un peu. Je ne voulais pas perdre mon travail, ni perdre la raison.

Les premières visites chez le docteur Lopez furent principalement liées à l'agression elle-même, et surtout à mon corps. Il voulait faire recoïncider mon corps et mon esprit, afin que je me retrouve dans ma propre dépouille. Les séances suivantes concernèrent les actes sexuels, les odeurs, les textures de peau, les regards, les insultes. Je revivais chaque sensation, tant sur le plan émotif que tactile.

Puis les questions s'élargirent.

– Quelles ont été vos relations avec les hommes en général ?

De bons souvenirs pour certains, et… moins bons pour d'autres… Comment le lui expliquer ?

– Je suis tombée sur des mecs… compliqués, dis-je. Certainement parce que je le suis. Des hommes qui avaient, la plupart du temps, plus besoin d'une mère que d'une petite amie.

– Inutile de vous impliquer, encore moins de vous culpabiliser. Vous n'êtes pas tombée sur quelqu'un qui vous convenait, c'est tout. Donnez-moi des exemples de relations qui n'ont pas marché.

– Quand je suis arrivée à Paris, je travaillais dans un restaurant en tant que barmaid. J'y ai rencontré un jeune homme, très grand, blond, d'origine flamande. Un garçon intelligent.

– Et alors ?

– Au début, j'étais plutôt passionnée. Il était très timide. Il venait de rompre avec une femme plus âgée que lui, qu'il avait encore dans la tête. Il ne pouvait s'empêcher de me comparer à elle. Par la suite, ça s'est mieux passé. Sauf qu'il y avait un blocage. Nous terminions tard le soir, il sortait souvent avec le reste de l'équipe. Il avait aussi un penchant pour la boisson. Et dès qu'il buvait un peu trop, il devenait quelqu'un d'autre, et ça me faisait peur. Mais je restais quand même avec lui… jusqu'au jour où je suis partie.

– Pour quelle raison ?

– Un soir… Des amis musiciens faisaient un bœuf. J'avais mon véhicule. Il commençait à être ivre. Moi, j'étais gaie, mais lucide, et je le voyais changer. À un moment, il est sorti sans dire où il allait. Je me suis retrouvée seule. Je m'inquiétais de savoir où il était. Il avait les clés de mon véhicule et de mon appartement. J'ai pris un taxi pour me rendre chez lui. En arrivant, personne. J'ai attendu, en m'inquiétant. Il arrive à son tour, je l'entends monter les escaliers, complètement bourré. Il n'entendait rien de ce que je lui disais. Il était vraiment dans un état second. Et dans ces états-là, il devenait régulièrement violent, sans en être conscient.

« J'ai bien tenté de lui parler – en vain. J'ai commencé à pleurer. J'ai voulu, à un moment, lui prendre la tête entre les mains. Il m'a repoussée violemment contre l'angle de la fenêtre, et je me suis fracturé les côtes.

« J'ai bien vu que je ne le maîtriserais pas. J'ai attendu qu'il se calme. Il s'était endormi à moitié habillé. J'étais sur le lit, sans pouvoir fermer l'œil. Je voulais partir, mais je ne savais ni où étaient les clés, ni mon véhicule, et la douleur s'accentuait. Je suis donc restée sur place.

« Le lendemain, il s'est réveillé, il m'a vue pleurer, il s'est inquiété… Il ne se souvenait de rien.

« Nous nous sommes séparés… Nous nous sommes revus – en amis. Je ne peux plus, je ne veux plus l'aimer. Il a un problème et ne veut pas l'admettre. Et c'est à lui de le résoudre.

– Et à part lui ?

– Je suis tombée sur un mythomane, qui menait une double vie, avec un enfant qu'il ne voulait pas reconnaître. Il m'avait présenté sa mère, on avait passé de bons moments, des vacances ensemble. Je le poussais à reconnaître cet enfant et étais même prête à l'accepter par amour pour lui.

– Oui ?

– Il me disait qu'il m'aimait, il échafaudait des projets de vie commune – pour finalement partir, sans aucune explication.

– Vous n'avez pas eu de chance non plus de ce côté-là, à ce que je vois…

C'était dit gentiment, sans ironie.

Au fil des visites, je me suis sentie davantage en confiance avec mon psychiatre. Nous avons évoqué ensemble mon attitude vis-à-vis de mes confrères, de mes obsessions, mes recherches à l'Agence France Presse : Faits Divers – Val-d'Oise – IDF – Violences – Tournantes, j'explorais sur l'ordinateur toutes les occurrences de la violence urbaine. Je me gavais de faits divers.

Je travaillais à mi-temps pour l'instant, sur avis médical.

Le spectacle du comique talentueux s'était déroulé sans moi et s'était bien passé. J'avais contacté Eddy Marouani et sa femme Janine afin d'expliquer mon absence inattendue. Même si le comédien ne comprenait pas mon éloignement, le couple Marouani me soutint alors, psychologiquement.

L'enquête se poursuivait. Régulièrement, on m'infligeait le visionnage de quelques centaines de visages – bon sang, il y a donc tant et tant de criminels ? Je n'arrivais plus vraiment, certains jours, à distinguer les visages. Ils se ressemblaient tous. Peut-être l'effet des médicaments et des insomnies répétées, nuit après nuit.

Mon psychiatre et moi nous voyons trois fois par semaine, afin de me retrouver, d'une part, et parce que je commence à me découvrir dans ma réalité personnelle. Il arrive à débloquer la machine des souvenirs d'enfance. Il avait touché là un autre point sensible.
– Combien de frères et sœurs avez-vous ?
– J'ai une sœur, deux frères, d'un second mariage.
– De bons rapports avec eux ?
– Oui… Je les aime – même si l'aîné et moi-même n'avons qu'un mois d'écart…
– Comment ça ?
J'ai expliqué la double vie de Michel Sardou, cette année-là. Et, forcément, la séparation de mes parents, juste après ma naissance. Puis il m'a interrogée sur ma famille. Mon oncle glaciologue de l'Antarctique. L'historique de la famille Schneider. Mon grand-oncle l'écrivain…
Et enfin, ma mère. Son premier mariage. Les scènes. La violence. Le divorce. Son remariage. Et la façon dont mon beau-père avait multiplié les abus, la

haine, les coups – pour rien, pour des peccadilles, un travail scolaire imparfait, tout ce retard…

– Et votre mère, dans tout ça ? Je la trouve bien passive ! Vous aviez des alliés avec vous ? Et votre père ? Vous ne l'avez plus vu après le divorce ?

– Après le divorce de mes parents, peu. Il n'y avait que Jackie, ma grand-mère, qui venait nous voir régulièrement. Je l'aimais profondément. Ce qui était formidable, c'est que quand elle venait, l'entourage se transformait. Mon ex-beau-père était doux comme un ange, avec ma sœur et moi. Si aimant que personne ne s'est jamais douté de quoi que ce soit. Avec moi plus particulièrement. Il disait que j'étais sage comme une image. Il faisait tout pour être aimé par toute la famille. Et il y parvenait parfaitement. Un monstre d'hypocrisie…

« Les instants de bonheur étaient rares, et fragiles. Je ne savais jamais quand j'allais redevenir victime de ses pulsions. Il était imprévisible. Parfois père, et souvent diable.

Je racontai ensuite le Midi, la grande maison, la piscine vide – l'ennui, les coups.

– On ne peut pas dire que vous avez eu une enfance heureuse, constata-t-il. Ni une adolescence épanouie, reprit-il dix minutes plus tard, après le résumé de mes déboires.

– Et votre sœur ? me demanda-t-il ensuite. Comment vivait-elle son beau-père ?

– Très mal. Il lui disait qu'elle était moche et grosse. Il l'injuriait régulièrement. Il l'avait même accusée, à une époque, d'être à l'origine d'un problème de dos. Prétextant qu'elle l'avait poussé dans le bassin, lors d'un plongeon. Elle n'avait que dix ans ! Pendant des années, il lui a reproché cet accident. À l'âge de seize ans, elle est partie – elle a fui.

« Et je me suis demandé très tôt comment j'allais moi-même me tirer...

Mon traitement thérapeutique VIH vient juste de se terminer. Mais les antiviraux sont encore en profusion dans mon sang. J'ai trop maigri, sans m'en rendre compte. Simone, la cuisinière de la maison familiale, me prépare des repas principalement à base de poisson – je ne pouvais plus avaler un seul morceau de viande. Un fragment de viande rouge me renvoyait à des flashs liés aux crimes, instantanément.

Un matin, mon père m'appelle – et toute convocation dans son bureau présageait une engueulade. Il était énervé, tourmenté, je ne savais pas encore par quoi. Il ouvre la porte de son bureau, me fait asseoir, referme la porte derrière moi.

– Ça ne peut plus durer comme ça, commence-t-il, bille en tête. J'ai appris que tu ne mangeais pas de viande ? Et que tu ne mangeais que du poisson... Tu sais quoi ? Tout cela me coûte cher. Je ne peux plus. Est-ce que tu as trouvé un appartement ?

– Oui, j'ai commencé à chercher. Et je lui montre un journal de locations immobilières.

– Ça, c'est RIEN, ça, c'est de la merde. J'en veux pas. C'est pas comme ça que tu vas trouver un logement !

Je me mets à pleurer, comme ça, sans sanglots. Je replonge dans le néant. Mon père regarde couler mes larmes et continue.

– Et puis, j'en ai assez que tu parles à Colette. Tu as une mère. J'en ai assez aussi que tu parles à Anne-Marie. C'est ma femme, certes, mais je suis un homme libre. Tu entends ? Personne ne s'immiscera dans ma vie. Personne !

Il semble hésiter un instant.

– Et puis maintenant, reprend-il soudain, vous êtes cinq !

Je le regarde, interloquée.

– Oui tu as bien entendu. Vous n'êtes plus quatre « héritiers », mais cinq.

C'est donc cela qui le torture ? Et c'est pour cela qu'il me torture ? Je dois obéir. Ne pas discuter. Je n'ai droit à rien, encore moins à la parole. Je suis une proie, une enveloppe vide. Un zombie sans défense.

Il a soudain un regard féroce, meurtrier.

– Ah ! Et il faut impérativement que tu réagisses dans ton travail. Tu n'as pas encore de contrat à durée indéterminée. Tu ne sais pas. Tu ne sais rien. Tu es nulle. Regarde-toi ! Regarde de quoi tu as l'air ! Tu as tout à prouver. Je ne vais pas t'entretenir toute ma vie. Tant que tu seras ici, chez moi, tu feras ce que je te dis de faire.

Mon père souffle un jour le chaud, un jour le froid. Sans prévenir. Aujourd'hui, c'est glacé. Ses réprimandes me déboussolent. Ces passages d'un excès d'amour à des excès de violence, c'est sa manière à lui de manipuler. Un vieux truc de patron. S'accrocher à des idées toutes faites, falsifier le réel, imposer à l'autre sa vision, le culpabiliser surtout, si possible. Je ne dépends en rien de lui, je paie mes factures, mon loyer, je travaille. Je le maudis à cet instant.

— Et puis tu vas partir maintenant, conclut-il. Je ne veux plus que tu restes ici. Tu t'en vas.

En sortant, je suis accablée. Pourquoi me parle-t-il ainsi ? Un mois tout juste après mon cauchemar, subir encore une dispute…

Nous sommes donc cinq ? Cet enfant existe-t-il vraiment ? Est-ce une stratégie pour me secouer. Qui est-il ? Où est-il ? Qui est la mère ?

Ce n'est certes pas de la maladresse, de sa part. C'est l'absence de pitié d'un fauve.

Où aller ? Il est hors de question que je retourne dans mon ancien appartement.

Le lendemain, je vais travailler avec, au ventre, la peur et la honte d'avoir un tel père. Honte de tout, de moi, de mon physique. Je me camoufle de mon mieux. Col roulé sur le dos. Pantalon noir. Manteau long noir. Les cheveux attachés. Lunettes sur le nez.

Les bises du matin, toujours impensables.

Il ne me reste que les praticiens pour m'aider.

Le soir, en rentrant chez mon père, je monte et je m'enferme. Surtout, ne pas le voir.

C'est à cette époque qu'ont commencé les pertes de mémoire.

Comme tous les matins, toute la presse sous les coudes. Après dix minutes de lecture, le trou noir.

Impossible de me rappeler ce que je viens de lire. On me parle, et j'oublie tout le quart d'heure suivant. Il m'arrivait de répéter plusieurs fois mes propos dans la même journée, pensant que c'était la première fois que je les formulais. Mes amis proches m'en feront la remarque – un peu plus tard.

J'imagine, en fonction de cette expérience, ce que doit être le sentiment d'un malade atteint d'un Alzheimer. Je me sens comme dominée par ces pertes de mémoire. Je ne maîtrise plus ni mon mental, ni mon langage. Je communique de moins en moins avec mon entourage, j'accumule les erreurs dans mon travail.

Je n'en parle pas à mes proches. Je ne mange plus, je n'ai plus envie de rien. Mon père, qui se rend compte qu'il a été trop loin, n'ose plus parler avec moi.

La seule de la famille qui n'est pas au courant de mon accident, la seule qui reste neutre, c'est ma grand-mère maternelle. Elle ne porte jamais aucun jugement. Ma tante et son mari viennent me chercher dans la maison familiale et m'y conduisent – malgré les objections de ma mère :

– Mais tu n'y penses pas ! Tu connais l'appartement de ma mère. Tu sais comment il est. Tu ne peux pas vivre dans un logis vieux et poussiéreux…

J'y suis restée tout de même.

Du coup, ma mère est venue m'y voir. Pas un seul instant elle ne m'a trouvée amaigrie. « Non, tu n'as pas mauvaise mine. Bien au contraire… » Est-elle aveugle par choix ou par défaut ? Je ne la reconnais plus. Ou suis-je plus simplement en train de la découvrir ?

« Bonne mine ! »

Elle décida de dormir chez sa mère. Immédiatement, je déménageai, pour la nuit, à l'hôtel. Au moins, elle ne m'y harcèlerait pas.

La rédaction devint mon principal refuge. J'y étais pratiquement tout le temps. J'arrivais des heures en avance, je n'en partais plus. Au point d'y prendre des douches et de dormir quelques heures dans une loge. Au bureau, au moins, mes ennuis étaient au placard. Je n'évoquais pas le sujet, sauf à certains de mes supérieurs, comme Christian Dutoit, qui me convoquait régulièrement pour savoir comment j'allais, et où en était l'enquête. « Tout va pour le mieux », répondais-je invariablement. Il était assez fin pour comprendre que je voulais dire que tout allait mal.

Je me suis dit que je ne pouvais pas décevoir un type aussi gentil et si professionnel.

J'ai rappelé le docteur Lopez.

Il m'a arrêtée, en m'expliquant qu'il y avait souvent des effets retards après les traumatismes, que mon comportement était parfaitement normal, que j'allais prendre le temps de trouver un appartement, et me requinquer.

J'ai trouvé un logement sympathique, près du bureau.

J'ai partagé mon temps entre les analyses de sang – l'image du troisième préservatif qui n'avait pas tenu me hantait –, le travail, les visites à mon avocat, et le visionnage de clichés à la PJ. Je dormais peu, et mal.

Sur ce, on commença à recevoir au journal des appels anonymes légèrement pervers. Puis je reçus, anonymement toujours, des cadeaux, des fleurs, des cartes, des disques, des chocolats. Un admirateur ! Mais qui ? Deux semaines plus tard, en rentrant dans mon appartement, je trouve la porte d'entrée grande ouverte. Rien cependant n'avait été volé.

J'appelle mon père, qui, comme à son habitude, trouve les mots.

– Mais tu deviens complètement parano, ma pauvre fille ! Et puis, tu nous emmerdes. Ta thérapie c'est de la merde.

Il gueule encore un bon coup, puis il me raccroche au nez. Tout en délicatesse. Je le rappelle, et me défoule sur sa messagerie :

– Tu n'as pas le droit de me traiter ainsi. Et ma thérapie, ce n'est pas de la merde, comme tu dis. C'est bien plus que ça. Si je n'avais pas cet encadrement médical, je ne serais pas vivante aujourd'hui. Il est évident que je ne peux pas compter sur vous, sur personne, c'est vous qui m'emmerdez !

Je rentre chez moi. Dans le courrier, une lettre de ma mère. Étrange. Sur l'enveloppe, mon prénom déformé : « Cytia » au lieu de « Cynthia ». Déroutant, venant de sa propre mère. Je l'ouvre, ça ne parle que de ténèbres. De dôme funèbre. J'arrive à la fin : « Ma chéri » – il allait me falloir encore changer de sexe.

Cette lettre n'était pas écrite par elle. Quelqu'un la lui avait dictée, maladroitement.

J'ai brûlé cette missive, qui me paraissait avoir un caractère maléfique.

Ma voiture – achetée par mon père juste après Noël – tombe en panne. Puis j'ai un premier accident – et je m'aperçois, plus tard, trop tard, que le conducteur en faute m'a donné une identité bidon. Puis un second pépin – un tête-à-queue, puis un tonneau, sur une petite départementale, par temps de pluie. La tête coincée contre le toit de mon auto. Sinon, pas une égratignure. La voiture, elle, était défoncée. « Quelle chance vous avez eue », disent les pompiers.

Chance ! Je cherchais le mot…

Me voilà belle, avec une minerve… J'ai des syncopes au milieu de la rue, je tombe, je me relève, je retombe. Je suis à bout.

Tout n'est pas noir. On me certifie définitivement que je ne suis pas séropositive.

Les criminels sont toujours en liberté, les enquêteurs cherchent sans relâche de leur côté, ils me rencontrent régulièrement, se déplacent même sur mon lieu de travail. Les portraits-robots n'étaient pas suffisants, et suite aux photos qui m'avaient été présentées, de nombreuses personnes avaient été interrogées, testées – mais pas de concordance, les ADN n'appartenaient pas aux personnes mises en examen.

Le juge d'instruction, quant à lui, s'intéresse en priorité à mon téléphone mobile, qui, un mois après les faits, est de nouveau en activité. Pour l'instant, c'est la seule piste sérieuse.

Eva, mon amie de toujours, vit à Barcelone. Elle m'annonce qu'elle se rend à Paris pour quelques jours. Chez sa mère. Retrouvailles émues. Elle me serre contre elle et pleure. Je ne pleure pas, je ne pleure plus, j'ai déjà trop pleuré.

On boit du café, on fume une cigarette, on se raconte nos vies. Elle m'avoue ensuite qu'elle a eu du mal à me reconnaître, que j'ai perdu un poids considérable, que la Cynthia d'aujourd'hui n'est pas celle qu'elle a connue. Je n'y peux rien, lui dis-je, je fais des efforts, je suis perdue – on m'a volé trop de choses dans ma vie.

Gloria, sa mère, évoque ensuite un courrier de ma mère. Un courrier qui demande un investissement financier. Eva m'affirme qu'il provient d'une secte, à laquelle elle a été elle-même confrontée.

J'ai fait quelques recherches au bureau. Effectivement, ma mère est bien embringuée dans une secte. Je comprends mieux ses comportements bizarres, ses lettres dictées par… par qui ?

Et puis la vie reprend doucement le dessus. Je vais mieux ; je remonte la pente. Pour les vacances, je partirai aux États-Unis voir un lointain parent – ce Norbert qui m'avait invitée quand j'étais gosse, en pure perte, puisque, à en croire ma mère, il avait décommandé lui-même le voyage…

Je l'ai au téléphone quelques jours avant mon départ.

– De quoi ai-je besoin là-bas ?

– Un maillot de bains et un paréo, plaisante-t-il.

Je sens déjà, à travers le combiné, le soleil, et l'odeur de la plage !

Départ de Roissy, escale à Dallas, correspondance pour Aruba.

À l'arrivée, un homme d'une cinquantaine d'années m'attend. Norbert Aleman ! Son visage, vu sur des photos datant de quinze ans, est exactement le même. Des yeux verts craquants. Un look spectaculaire – un tee-shirt noir lustré d'imprimés Harley Davidson, et un short troué en jean. Il m'accueille en souriant comme si nous nous étions vus la veille, alors que vingt-cinq ans nous avaient séparés.

– C'est fou ce que tu ressembles à ta mère, constate-t-il.

– Tout le monde me le dit, mais je crois avoir des deux, en fait.

Nous avons parlé de tout, de lui, de sa vie, de moi, du boulot, de l'enquête, de mes parents enfin. (« Ton père je le connais bien. J'ai travaillé pour lui, avec lui, et j'ai dû me mêler de ses histoires parce qu'il n'avait pas le courage de dire ou de faire les choses lui-même. Tes parents, ce sont des enfants. Ils ne savent pas prendre des décisions tout seuls, mais ta mère a beaucoup souffert de cette rupture… ») Des heures et des heures.

Tout devenait plus clair pour moi, même si certaines réponses étaient de nouvelles blessures, comme ces lettres, ces photos, ces cadeaux de Noël que je n'avais jamais reçus…

Ce furent les vacances de la convalescence.

Le premier jour, je me surpris à chercher dans mes affaires de quoi être JOLIE ! Ça ne m'était pas arrivé depuis des mois.

Évidemment, l'atmosphère s'y prêtait. Robes légères, brise d'été. Paradisiaque.

Norbert avait à faire, et m'a laissée seule, un soir. Dans un piano-bar où l'on jouait le tube de Sinatra *I've got you under my skin*, alors que je me débattais avec un milk-shake au chocolat, j'ai été abordée par deux jeunes Américains. Nous avons un peu bu, nous avons blagué.

Et puis, sur le coup de 11 heures du soir, Brian, l'un d'eux, m'a lancé :

– J'ai rencontré quelqu'un, récemment.

– Ah oui ? Et de qui s'agit-il ?

– J'ai fait la connaissance d'une jeune femme, une Française…

– Non ? Mais comment l'as-tu rencontrée ?

– Vraiment par hasard, dans un piano-bar, dégustant une glace au chocolat… Elle est visiblement très intelligente mais elle a surtout un sourire resplendissant. Elle est effacée, timide, et très naturelle. Ce qui m'a frappé en elle, c'est cette manière qu'elle a de parler notre langue. Ce petit accent pas si français que ça !

Je rêve ! Est-ce que ce grand escogriffe est en train de me courtiser ?

– Mais comment sais-tu si elle est si intelligente, et si elle possède autant de qualités ? Tu la connais bien ?

– C'est vrai, je la connais peu, mais quand je l'ai rencontrée, elle était si jolie, si douce que je n'avais envie que d'une chose, l'aimer tout de suite.

Il me prend une envie frénétique de fuir. *Illico*.

L'ami de Brian voulait aller se coucher – moi aussi évidemment ! J'avais une boule sur l'estomac, une trouille bleue, pire qu'au jour de mon premier rencard. Brian me regarde, sans broncher, et m'embrasse sur les lèvres, sans que j'aie le temps de dire oui ou non, mais tendrement. J'étais tellement troublée que je suis tombée dans ses bras.

Voilà une chose qui ne m'était jamais arrivée ! M'affaler dans les bras d'un homme qui vient juste de m'embrasser. Formidable ! Il me porta jusqu'en haut du ponton, à proximité de la plage, sur un banc, avec vue sur la mer éclairée par la lune. Ces Américains ne détestent pas le romantisme !

J'avais rencontré un type, le temps d'un soir, le temps d'une trêve. Et là, vous avez envie de croire à l'amour. Cette vie qui vous en fait voir de toutes les couleurs, et des plus sombres, eh bien, quand vous rencontrez l'amour, vous oubliez tout le reste, vous oubliez même que vous existez. Ce gentleman face à elle, face à son visage, ne regarde qu'elle, et ne regarde plus en arrière. C'est l'instant parfait. Une histoire qui ne dit pas où elle les emmène. Aucun calcul : *carpe diem !* Vivre l'amour comme vous ne l'avez jamais vécu. Chaque détail de sa peau, son sourire, la petite fossette au menton, tout vous dit que vous êtes LA femme idéale. Ses regards vous rendent belle, à le croire. Vous croyez au bonheur, à cet instant même, et que tout ce qu'ont pu vous raconter tous les prophètes de malheur est faux, puisque vous le vivez.

Sa voix est douce, rassurante, ses mains grandes et fortes touchent les vôtres avec toute la douceur du monde. Il approche sa main de votre visage, il caresse cette larme de joie, qui n'exprimait que la magie de l'instant. Il vous rassure en vous disant que vos défauts sont des perfections supplémentaires. Elle, est troublée comme par un premier flirt…

Je suis repartie le cœur plein d'espoir. De souvenirs. De couleurs. De force. Ces quelques heures furent inoubliables. Sans le savoir, Brian, avait contribué à mon rétablissement. Ce flirt sonnait comme un premier baiser d'adolescent.

Le lendemain, mon parrain et moi repartions de l'île. Mon retour en France était imminent.


Retour à Paris. Je me sens reposée. Physiquement et intellectuellement. Plus détendue aussi vis-à-vis de mes confrères. Je commence à retrouver le sourire, et l'envie de communiquer.

Je reprends ma vie quotidienne, tout en continuant ma thérapie.

Un matin, l'adjudant me contacte pour visionner d'autres clichés. Il se rend discrètement à la rédaction en compagnie d'un autre enquêteur. Je les conduis dans un café situé à proximité de la chaîne. Il me présente une photo, sans rien dire...

Un flash. Immédiat. Je me retrouve au moment où je suis sortie de mon véhicule ce soir-là. Au moment où il m'agrippe.

– Oh ! C'est lui ! C'est lui. C'est le leader des trois...

– Vous êtes sûre ? De toute façon, vous ne faites que confirmer les indices trouvés pendant l'enquête.

J'apprends alors que deux individus ont été repérés par la police judiciaire. Que les tests d'ADN prouvent cette fois leur identité. L'un des trois est déjà en prison pour une autre affaire, un vol à main armée. Mauvaise graine...

Et je me sens soulagée. Je sais à présent où sont mes agresseurs. Combien j'ai eu raison de porter plainte ! Je vais pouvoir recommencer à vivre, à dormir normalement.

Chez mon avocat, nous évoquons la confrontation prochaine avec les suspects. J'avais déjà envisagé cette hypothèse avec mon psychiatre. Le fait de les rencontrer me préparera au procès aux assises. Je suis cette fois en position de force.

Je reçois, quelques jours plus tard, la convocation écrite et officielle du juge d'instruction.

Je vais revoir ces fous. En face. Bien en face.

En rentrant au bureau, j'annonce la bonne nouvelle à mon père, et à quelques autres proches. À mes médecins, aussi. Décidément, tout avance en même temps, après ces mois d'atermoiements. Ma thérapie, mon rétablissement physique, ma concentration, mes humeurs – mes peurs aussi.

Dans les jours qui ont précédé la confrontation, j'ai passé une bonne partie de mon temps à lire tout ce que je trouvais sur les tueurs en série, les crimes sexuels, les détraqués de toutes farines. Tous les crimes. Je voulais comprendre ce qui se passe dans la tête de ces types. Selon les différents profils. La plupart des criminologues disent que ce sont des solitaires. Méticuleux parfois jusqu'au pathétique. Maniaques aussi, dans le quotidien, dans le crime : nombreux sont ceux qui laissent une signature bien spécifique. Désir d'être identifiés. Désir de célébrité.

Qu'est-ce qui déclenche chez eux le passage à l'acte ?

De nombreux *profilers* ont étudié la question. Notamment aux États-Unis où la criminalité est phénoménale. L'étude de plusieurs cas a amené le FBI à mettre en place un vaste programme d'études en victimologie et en criminologie.

Les enquêteurs professionnels se sont effectivement résolus à décrypter les scènes de crime dans des perspectives psychologiques. Ce fut très efficace sur les *Serial killers* à motivation sexuelle.

Le programme transfédéral VICAP américain. HALT dans l'État de New York. HOLMES en Angleterre ou CPIC au Canada viennent, depuis quelques années, compléter l'enquête de terrain et le profilage psychologique.

En France, le recours aux rares *profilers* n'est pas encore systématique, ni organisé de manière très rationnelle. N'empêche que la police française se débrouille fort bien, avec des méthodes traditionnelles. L'enquête de terrain. Les recoupements. La patience...

Toutes ces recherches m'éclairent un peu plus. Par conscience professionnelle, je me disais que le fait de lire, d'écrire, d'être face à l'image d'un de ces hommes, m'aiderait à les combattre. À un moment, j'ai même eu l'idée de me spécialiser dans le domaine. Après tout, j'avais survécu : j'étais finalement bien placée pour situer le problème, sans pour autant tout ramener à mon problème. Traiter l'information. Respecter la victime proprement dite.

Contrairement à ceux qui affirment, en conclusion d'un commentaire télévisé bâti sur quelques images, qu'après un procès la victime oublie, je peux affirmer que tout est gravé à jamais. « Elle peut entamer son deuil ! » Une affaire jugée est un réel soulagement, mais une victime n'oublie certainement pas une empreinte de ce genre, toujours vivante.

Col roulé blanc, pantalon noir. J'ai passé les contrôles de sécurité, et j'ai attendu mon avocat – et mon patron, Christian Dutoit, venu spécialement me soutenir – dans l'enceinte du Palais de Justice.

L'appel se fait à haute voix et mon nom résonne dans tout le hall. Christian Dutoit reste là. Je monte les escaliers en compagnie de mon avocat. Le juge d'instruction nous attend. Je suis terriblement nerveuse.

J'ai peur de les revoir : la victime peut se sentir bizarrement coupable d'être innocente. Quand nous entrons dans la pièce, les avocats de la défense sont là eux aussi.

– Faites entrer les inculpés ! ordonne le juge. Ils entrent l'un après l'autre, menottés, encadrés de policiers. Ils s'assoient, la tête baissée. Puis ils jettent un coup d'œil en douce autour d'eux, pour situer les uns et les autres. Je les regarde droit dans les yeux. Face à face. Je reconnais bien les deux premiers – le troisième est toujours resté un peu flou. Cela fait déjà plusieurs mois qu'ils sont incarcérés. La taule les a déjà amochés. Ça se voit, mais je ne vais pas les plaindre. Ils fuient tous les trois mon regard.

Je passe les détails de la procédure, le rappel de l'affaire, la lecture des mises en examen, etc. Le juge enfin se tourne vers moi.

– Je dois vous poser quelques questions, d'ordre… technique. Mademoiselle Sardou, vous avez, dans vos premières déclarations, parlé de sodomisation. Pouvez-vous répondre à cette question ?

– Oui. Cette déclaration était effectivement fausse. En voulant employer le mot « fellation », j'ai par erreur utilisé le mot « sodomisation ».

– Vous confirmez qu'il n'y a pas eu sodomisation ?

– Oui, monsieur le juge.

– Confirmez-vous aussi, mademoiselle, qu'il y a eu fellation ?

– Oui.

Et ainsi de suite. Combien de fois, à qui, quel type de pénétration...

Le juge enfin se tourne vers le leader des trois ordures :

– Monsieur B., confirmez-vous les déclarations ici faites par la victime ?

– Oui, murmure-t-il d'une voix lointaine.

– Je n'ai pas bien entendu, monsieur B., dit le juge. Je répète ma question. Confirmez-vous, monsieur B., les déclarations ici faites par mademoiselle Sardou, la victime ?

– Oui monsieur le juge.

Même question au second inculpé, qui, tout à coup, sort de son apathie.

– Oui, mais elle ne disait rien, lance-t-il, elle ne protestait pas ! Elle ne criait pas. Elle ne réagissait pas !

Le juge fait un signe, et le policier de service emmène l'accusé qui vocifère toujours.

– Cette confrontation est terminée. Vous pouvez disposer.

Nous attendons tous qu'ils soient évacués, puis nous sortons à notre tour. Maître Lemaire se tourne vers moi.

– Ça va ? En tout cas, vous avez été très courageuse...

– On va dire que ça va mieux...

– Ils ont fait des aveux, reprend-il. Des aveux qui n'existaient pas au départ. C'est une excellente nouvelle pour le procès aux assises.

Christian m'attend toujours dans le hall. Je crois bien que je souris – faiblement, mais je souris.

Nous avons passé l'après-midi ensemble, à parler boulot. Les restructurations au sein de la chaîne. Son départ probable. L'organigramme de la prochaine équipe. La vie qui continue…

C'est abominable, quand on y repense, la précision de ces questions. Utile et nécessaire, certainement, mais abominable. L'amour réduit à des gestes techniques. Comme s'il n'y avait que cela dans l'amour. À vous en dégoûter pour longtemps.

J'ai toujours eu un côté fleur bleue. Je n'ai jamais cumulé les aventures, loin de là. J'ai d'ailleurs été élevée dans l'optique du mariage, et rien d'autre. Et dans les formes, encore. « Le jour où un garçon demandera ta main, disait mon père, il devra d'abord traverser la cour, puis le parking, monter les escaliers, contourner le seuil à l'entrée, traverser le bureau et enfin s'asseoir – mais uniquement quand moi, je l'aurai décidé. » Le malheureux aura l'impression d'avoir affaire au Parrain en personne. Peut-être est-ce un peu excessif.

Mon père, voyant que je ne parlais jamais de qui que ce fût, se demanda même, un temps, si je n'étais pas lesbienne… Non : j'aime les hommes – mais pas les brutes machistes qui m'ont violée. Je les aime doux. Tendres. Romantiques. Intelligents. Je ne demande pas un physique exemplaire, parce qu'il ne dure pas. Je me contenterai d'un peu de charme, qui, lui, reste bien plus longtemps. Un tel homme existe forcément.

Mais où ?

Pour l'heure, je n'en sais fichtrement rien.

Curieusement, le fait d'avoir été confrontée à ces trois criminels m'a fait, un temps, basculer dans la séduction systématique. Je suis devenue aguicheuse. Je voulais voir ce que c'était d'avoir le pouvoir sur un mâle.

Seule ma profession me parlait d'avenir, bien plus que tout le reste.

Le fait de plaire donne beaucoup d'énergie. Ma concentration et mon ardeur s'en nourrissaient.

Le problème, c'est que je n'aimais plus les autres, et que je ne voulais pas d'un type qui s'introduise dans ma vie. La haine de trois hommes m'entraînait à une méfiance généralisée de tous les mâles. Je me contentais d'être maître des situations. Pas de sentiments. Il n'y avait de place que pour la vengeance, le dégoût de l'amour, de l'acte d'amour – de la froideur, une beauté futile, des rires faux dans les soirées. J'abandonnais le flirt du moment juste avant l'acte, sans prévenir, sans rappeler et bien évidemment, sans donner aucune explication. J'allais voir ailleurs, choisir une autre proie, tout aussi palpitante. Je savais déjà ce que j'allais trouver – le même discours stéréotypé, du faux romantisme, du calcul. Eh bien, je calculais mieux qu'eux. Moi aussi je pouvais briller dans la cruauté mentale.

Cette attitude passagère me remit en cause globalement. Qui étais-je ? À quoi servait une femme ? Qui voulais-je devenir ? Nonne, servante, professionnelle…

Ils avaient tué en moi, pour un certain temps, le respect de moi-même et des autres. Je faisais souffrir les autres parce que je souffrais moi-même. Cette sensation de (fausse) puissance, obtenue par jeu, me faisait plaisir, vraiment plaisir – un plaisir frelaté, certes, un plaisir quasiment mâle.

Ce qui m'a ramenée sur terre, ce fut, un an jour pour jour après notre premier baiser, un message électronique de Brian, qui me remettait en mémoire cette soirée sur l'île située du bout du monde. Il me disait que cet événement resterait le plus beau souvenir de sa vie – et cette affirmation contribua à me remettre les idées en place.

En attendant les assises, la routine continue : thérapie, médicaments, rencontres avec mon avocat.

Je profite de quelques jours de vacances pour partir à Dakar. Je me loge chez l'habitant – une famille composée principalement de trois épouses et d'un mari, et d'une trentaine d'enfants. Des Peuls. Lit de carton, oreiller de kapok. Pas d'électricité. Pas d'eau courante. Je me lave dans une bassine ronde, à peine plus haute que mes chevilles. Je porte la longue robe jaune africaine et la paire de babouches que l'on m'a offertes à mon arrivée. Les femmes se sont mis en tête de me tresser les cheveux, ma tignasse avait triplé de volume en quatre heures de temps.

Au début, la vue du poulet égorgé une heure avant de le manger me met l'estomac à l'envers. Et puis, à la guerre comme à la guerre, me dis-je, et je fais finalement des découvertes culinaires passionnantes.

J'erre dans les rues. La chaleur, le désœuvrement, cette langueur tropicale me permettent de faire le vide. Je hante les marchés, les pyramides de mangues, de pamplemousses, de papayes, de mads et de bananes. Kermel, Sandaga, Tilène. Le lac rose. Des repas de riz et de poisson. Je me balade à mi-chemin entre tourisme et intégration. Parfait pour me préparer aux joutes judiciaires du combat suprême.

Retour à Paris. Des rumeurs courent au bureau, un second changement de direction est prévu. La presse s'empresse d'en rajouter. Au sein de la rédaction, personne ne parle, sinon à mi-voix, tout le monde a peur. Les confrères nous informent de notre sort à venir. L'ambiance est déprimante.

Tout remaniement a ses bons et ses mauvais côtés. L'équipe que nous allons rejoindre passe pour très performante. Il s'ensuit un changement de collaborateurs, d'habillage à l'écran, de modifications du concept, de l'accès à l'international. Nouveaux techniciens, nouveaux présentateurs, nouveaux rédacteurs en chef, nouvelle direction. Pas facile à vivre. Nous avons trois mois pour effectuer la nouvelle grille de programmes de rentrée, et assimiler une autre méthode journalistique.

Une fois que la nouvelle formule est au point, j'opte pour des vacances en Californie, et je réserve mon billet – pour le 12 septembre 2001…

Or, la veille…

Il est 3 h 30, ce petit matin du 12 septembre, et j'ai annulé mon voyage – de toute façon, il n'y a plus de vols. Je tourne dans tous les sens, et je finis par prendre un bloc-notes. Je me sens, professionnellement parlant, très stimulée par l'événement, si riche d'analyses et de reportages à venir.

Nous déchanterons tous, les jours suivants, en voyant que les grands vainqueurs de la tragédie sont l'amalgame et la manipulation.

L'Amérique crie vengeance, les sondages l'assurent, et les sondages ne sauraient mentir... Le président Bush parle d'une guerre sans merci, sans relâche contre les responsables de ces attentats – nous savons à présent que dès cette époque, il a monté un plan d'attaque contre l'Irak, qui n'a rien à voir avec les attentats des tours jumelles. D'ores et déjà, les attentats du 11 septembre servent de paravent aux ambitions pétrolières et géostratégiques.

La France est également sous le choc. Policiers et militaires ont investi en force les points chauds présumés – ainsi la région de Lille. La télévision repasse en boucle les images de New York : de la fumée, du feu, des explosions, des cendres, les gens qui courent, se jettent par les fenêtres, et les deux tours s'effondrant dans un nuage...

Les dépêches d'agence tombent à une allure vertigineuse. Partout, dans les rédactions, l'excitation est à son zénith. Elle a duré plusieurs mois.

Je ne rappellerai pas au lecteur ce que fut l'année qui suivit, Kaboul bombardée dès le début du mois d'octobre, l'ombre portée d'Al-Quaïda et d'Ousama Ben Laden, dont on voit la menace partout en même temps, l'alliance générale de tous les pays du monde contre le terrorisme, les Américains surfant sur la

Appelez-moi Li Lou

vague de sympathie générée par les attentats, l'Afgha-
nistan provisoirement libéré des Talibans...

À quel prix ! Selon une étude faite par Marc Herold,
professeur d'économie américain à l'Université du
New Hampshire, au moins 3 770 civils afghans ont
été tués entre le 7 octobre et le 10 décembre, ce qui
reviendrait à 62 innocents tués par jour. Le nombre
cité n'inclut pas ceux qui sont morts des suites de
leurs blessures, ou morts de froid en raison de l'interruption des approvisionnements humanitaires, ou en
fuyant les bombardements.

J'ai eu, à cette époque, de longues discussions
imaginaires avec Jackie. La planète sombrait dans la
folie, je n'allais pas très bien moi-même, même
si j'allais mieux – ne serait-ce que parce que, dans
le feu de l'action – et Dieu sait qu'il y en avait, de
l'action, professionnellement parlant ! –, on pense
moins à ses problèmes. Avais-je l'ombre de ma
grand-mère pour me rassurer ? « Il y a des épreuves
de la vie que vous ne pouvez pas éviter, disait-elle,
comme tu n'as pu éviter les tiennes. Après cette lutte
intérieure intensive, l'homme se sentira plus faible –
ou plus fort. Quoi qu'il arrive, il sera transformé,
tout comme toi, dans un sens ou dans un autre, il
devra affronter les futurs événements de son existence. Il aura alors, et tu as toi-même, le choix entre
plusieurs conduites. Dignité, générosité, courage,
paix – ou à l'inverse lâcheté, corruption, égoïsme et
agressivité.

200

« Tu n'as pas fini de découvrir ton existence. Je ne suis pas ici pour juger, mais pour te guider dans l'évolution de ta vie. Souviens-toi de ce que je t'ai dit au début, je te le répète, toi seule as la possibilité d'agir, et tu es en train de le vivre dans ta réalité, et d'en prendre conscience ! Regarde, tu constates que de nombreuses personnes participent à des aides humanitaires et que dans cette guerre, il y a beaucoup d'amour.

« Regarde donc cette association qui s'appelle "J'ai un rêve". »

« J'ai un rêve », est une association liée à Eau Vive, elle met en avant les valeurs de respect et de tolérance face au racisme. Le choix de l'aide s'est porté sur la région de Matam qui dans les années 70 était le grenier à céréales du nord du Sénégal. Aujourd'hui cette région s'appauvrit, en raison de l'avancée du désert mauritanien et d'une pluviométrie de plus en plus faible.

« Les trois problèmes majeurs sont l'eau, l'école, la santé et la formation des femmes. L'eau est le problème majeur. Soit la population dispose d'eau car elle vit proche d'un fleuve, mais l'eau est insalubre, ce qui engendre des problèmes de santé. Soit le fleuve est trop éloigné et les villages disposent de puits, mais la sécheresse est telle que toute culture est impossible. La population ne peut donc se nourrir et reste dépendante des aides extérieures, principalement celles reçues par l'émigration des hommes. Il est donc indispensable de continuer à construire des puits afin de donner à tous accès à l'eau et aider les villageois à développer les cultures maraîchères.

« Les fondatrices de l'association ont visité de nombreux villages habités à 80 % par des femmes et des enfants, les hommes ayant émigré vers la France, l'Italie ou les États-Unis. Tous les échanges avec les associations villageoises ont fait ressortir que le rêve de ces femmes était de relancer l'économie, l'artisanat, afin de garder leurs enfants près d'elles et de faire revenir les hommes au pays. Peu organisées, mais très conscientes de leurs besoins, et malgré tout motivées pour les réaliser, les villageoises ont besoin d'appuis pour développer leurs projets. De là est né "J'ai un rêve", le rêve d'accompagner ces femmes sur le long terme en privilégiant les secteurs économiques, artisanaux, mais aussi éducatifs et sanitaires.

« Un objectif parallèle est de créer des contacts, des échanges, entre les enfants d'ici et ceux de là-bas. Pour faire témoigner les enfants sur la réalité de leur vie dans les cités, de leur faire découvrir ce qu'est la vie dans une région où les gens vivent avec très peu et de les impliquer dans la réalisation des projets choisis, dont les thèmes seraient la tolérance, le respect, l'amitié, la peur, la violence, le racisme.

« Dans ta vie, il se peut aussi qu'un être similaire t'offre son aide. Dans ton quotidien. Tes puits sont à sec. Ton âme est stérilisée par l'avancée du désert. Devras-tu accepter que l'on t'aide ? À quel prix ? Est-ce une aide désintéressée ? Que veut-on de toi ? Ne refuse pas *a priori* ! Tu raterais peut-être quelque chose de sincère. La vie est faite de surprises que tu ne soupçonnes pas, si tu savais ! »

On sonne à la porte.
– Qui est-ce ?
« C'est le facteur, madame, j'ai un courrier recommandé provenant de l'Élysée. »
Une invitation de l'Élysée ? Mon père, déjà chevalier de la Légion d'honneur, chevalier des Arts et Lettres, est fait, cette fois, officier de l'ordre du Mérite. La cérémonie a été retardée à cause des événements internationaux.
Le téléphone sonne. Mon ex-petit ami, qui n'a pas donné signe de vie depuis près d'un an, sous couleur de prendre de mes nouvelles, m'annonce qu'il n'a plus de travail. Il est proche de ma belle-famille : on lui aura soufflé de se faire tout sucre tout miel. Je lui suggère de poser sa candidature à la chaîne toute information, ce qu'il refuse. Enfin, il me parle de cette remise de médaille, me demande comment je m'y rends – peut-être peut-il m'y accompagner ? Non, merci, les transports en commun sont très commodes – et au pire, il y a les taxis.
Opportunisme…
À l'Élysée, je suis accompagnée de mes deux frères. Ma belle-mère, Anne-Marie, nous rejoint, de nombreux journalistes sont sur place. Arrive enfin le président de la République, qui se lance dans un beau discours face à un auditoire de prochains décorés. Et, surprise, mon ex-petit ami revient à la charge pendant la cérémonie : il avait une pige journalistique sur Lille, mais il préférait résolument ne pas rater cette cérémonie, en signe de soutien pour cette famille. No comment !

Voici mon père décoré, il pose pour les photographes en compagnie du chef de l'État. Je me sens presque gênée, de par ma position personnelle, et tout au long du déjeuner en famille –, ou presque, puisqu'une autre équipe professionnelle couvre l'événement, dans un restaurant parisien.

Michel Sardou, avant de s'adonner au théâtre, prépare son nouveau et dernier spectacle dans une grande salle parisienne. Je demande à l'artiste s'il veut bien accepter d'être interviewé, et filmé, à la demande de la direction. Il accepte avec le sourire – pour ensuite annuler le reportage au jour dit, alors qu'un cadreur doit me rejoindre sur les lieux. Un comportement anti-professionnel, peut-être, peut-être pas. Question d'humeur.

Ce n'est qu'une anecdote de plus, mais elle est nécessaire pour faire taire ceux qui pensent, ou qui ont pu penser, que porter deux casquettes (« fille de » et journaliste) était un avantage. Je n'ai jamais reçu de mon père, dans le cadre de ce métier, la moindre aide, la moindre ouverture – pas même la possibilité d'un micro-trottoir à la sortie du spectacle, ou une éventuelle interview sous un autre angle, celui de la conception artistique d'un spectacle. Cette dernière occasion manquée était-elle dirigée contre la journaliste que je suis, ou contre le fait que je suis sa fille ? Mon père ne souhaitait visiblement pas me donner cette satisfaction. Non, il faut que je sois présente uniquement pour lui, pour le soutenir, pour l'applaudir – et c'est tout. Lui d'abord, lui enfin.

Vis-à-vis de mes collaborateurs, je passais certainement pour la dernière des imbéciles. Pourtant, je me suis rendue à l'avant-première. Soutien moral tu veux, soutien tu auras. Et ne crois pas que je sois le moins du monde rancunière.

Avant le spectacle, le salon VIP est bondé. Des ministres français à foison, de gauche comme de droite. Le président d'une chaîne française, d'autres artistes, des comédiens, des photographes. Des fils de, des filles de, comme moi ! Une palanquée d'éditorialistes. On dit bonsoir, on est très poli, on est nerveux, on joue le jeu, et on n'est pas naturel le moins du monde.

Le monde est un théâtre. Je suis pomponnée de rigueur. Deux journalistes de la presse audiovisuelle française, sagement attablés devant un verre, me questionnent sur le chanteur. « Vous savez, les soirs d'avant-première, l'artiste se concentre sur le spectacle, je ne me permettrais pas de parler à sa place… » Leur déception se peint sur leurs visages.

Mais ce couple-là ne se décourage pas facilement. Ils veulent (et finalement ils obtiendront) une interview exclusive… « On pourrait prendre l'angle personnel, insinuent-ils… L'angle familial… L'interroger par exemple sur ses réactions à votre drame personnel… »

Je prends la suggestion en pleine figure. Allons ! Souris donc ! Non, je crains qu'il ne soit pas disponible… Mais passez une excellente soirée !

Je continue ma virée de poignées de mains, avec un ministre de gauche, au moins un, qui m'accueille sans poser de questions, il est content d'être là et vient apprécier l'un de ses chanteurs préférés.

Les spectateurs attendent, mes frères, Anne-Marie Périer, ses fils et moi-même nous installons à notre tour. Le public applaudit l'arrivée de l'artiste sur scène. Une entrée qui étonne les fans, Sardou s'approche de son public depuis les coulisses en chantant *La Maladie d'amour*.

La lumière n'est pas au point, d'autres problèmes techniques s'enchaînent. Je sens mon père inquiet, mais sa voix est parfaite. Après tout, c'est une avant-première !

Le spectacle se termine au mieux. La suite en coulisses. Un pot est prévu pour l'occasion. Champagne !

À voir la façon dont certains se précipitent sur les coupes, les enfilent puis se barrent sans dire au revoir, on jurerait qu'ils ne sont venus que pour ça – siffler du champagne et des petits fours...

Vers 1 heure du matin, je décide de m'éclipser à mon tour – pour travailler trois heures plus tard à la chaîne. Les articles de presse sont déjà rédigés, et j'en fais la revue par téléphone à mon père, dès 5 heures du matin, sur sa messagerie. Un autre coup de fil à Anne-Marie, en citant les noms des quotidiens à se procurer.

Et ainsi de suite, des jours, des semaines durant. À la demande de ma belle-mère, je soutiens mon vieux comme je peux, je continue à donner mon énergie personnelle et professionnelle, sans m'apitoyer sur moi-même, même si je m'épuise peu à peu. Un taxi que je réserve à l'avance m'attend chaque soir à une heure bien précise, afin de gagner du temps, d'éviter l'attroupement extérieur et de rejoindre mes draps blancs avant les autres.

Durant ces trajets nocturnes, entre l'est et l'ouest de Paris, je fais le point.

Qu'est-ce qu'un journaliste ? Il est le pion de service pour assouvir l'appétit de pouvoir des patrons, des médias. Il est aussi celui qui est pris en otage, celui qui perd sa vie sur le terrain, quand il cherche la vérité au lieu de se contenter des paillettes.

Tout le monde utilise tout le monde. Je me remémore la satisfaction visible d'un gendarme qui pensait que mon affaire allait lui permettre d'asseoir sa réputation et d'arrondir ses fins de mois.

Et moi ? Je suis l'amie fictive des complices habituels des tournées, productrice, maquilleuse, choriste, qui se comportent comme de vraies putes de luxe ! Je tends une oreille complaisante aux comptes rendus féminins, aux excuses masculines, aux confidences d'oreillers arrachées la veille à mon père... Je me dévoue gratuitement à un artiste dont je devrai, ensuite, supporter la haine qu'il porte en permanence, la douleur et la mauvaise humeur. Je dépouille la presse, et y trouve des contresens, des insinuations, des attaques basses. Je papote avec un chauffeur de limousine, pour me faire pardonner d'être celle qui l'emploie. J'offre du champagne à des gens qui ne sont là que pour ça, je fais des mondanités... Et tout ça pour quoi ? Pour rien. Pour passer pour cette pauvre fille de... – la petite gourde. D'ailleurs, elle ne prend part à aucune discussion, pas même les plus creuses ! Mais qu'importe, son père, lui, nous a rapporté de l'argent et va certainement nous en rapporter encore !

J'ai décidé alors de ne plus me rendre à ces soirées, de m'absenter même de la famille, jusqu'au jugement de mon affaire.

Mes liens avec le show-biz ne se limitent pas à ce rôle gratuit de groupie désabusée. J'eus l'occasion d'interviewer, entre autres, Jean-Louis Aubert. Il se montra affable, protecteur, romantique, et très rock. Il m'interpréta *La Maladie d'amour*, en hommage personnel – l'ex-leader de Téléphone aurait bien étonné son public s'il l'avait fait sur scène.

Le succès de ce premier reportage incita la chaîne à m'envoyer renouer avec des gloires plus ou moins passées de la profession. Je m'acquittai avec succès de ces missions successives.

Mon réfrigérateur est presque vide, sauf trois yaourts périmés depuis au moins deux mois, une pomme rouge déshydratée, une bouteille de jus d'orange ostensiblement moisie et un pot de moutarde qui tente de résister au désastre. Le frigo typique d'une célibataire parisienne livrée à elle-même. L'image de la désolation. Mamie, viens à mon secours !

Mais les fantômes ne se rendent pas systématiquement aux convocations. Je reste seule face à mon frigo. Peut-être serait-il temps de faire quelques courses ?

Je me rends dans le centre commercial du quartier, et y croise un ancien collaborateur. Nous faisons nos courses ensemble, mon panier se remplit de plaisir, de légumes, de fruits frais, de fromage, de sushi, une bouteille de champagne, au cas où il m'arriverait un invité imprévu, des coupes givrées et des fraises – toujours exquises avec le champagne.

Nous finissons par aller boire un café en terrasse, il me raconte sa vie, sa vie quotidienne au sein de sa nouvelle équipe, sa vie sentimentale, qui est selon lui une épave, il dit qu'il n'a pas le temps, et répète qu'il en a marre d'en avoir marre. Bref, la crise de la quarantaine…

Je le réconforte sans rien dévoiler de ma vie, qui est largement identique. Nous finissons par en plaisanter, lui d'un rire forcément viril, et moi sur une note plus féminine – deux façons fort différentes de prendre la vie.

Ce fut, je crois, devant ce café noir que je compris comment les hommes trottinent dans leur vie, et quelle difficulté ils ont à comprendre les femmes.

Nous nous disons au revoir devant une bouche de métro, et chacun rentre dans sa solitude de Parisien. Dans le wagon, j'observe mon voisin, vissé à la première page d'un quotidien. « Baisse de morale à Paris : un taux en hausse ! »

– Regarde-moi ça ! grommelle Jackie dans mon oreille.

– Tiens ! Te voilà, toi ! Je ne t'attendais plus !

– Chut, un peu de discrétion ! Ne parle pas si fort, on va te prendre pour une folle !

– Pourquoi n'es-tu pas venue, quand je t'ai appelée ?

– Parce qu'il fallait que tu réagisses toute seule. Tu as rempli ton frigo, tu as pris du plaisir à choisir ce que tu allais manger, et tu as passé un bon moment avec cet homme. Tu as réussi à te détendre, en t'occupant de ton appartement et de ta personne. C'est dans le calme et parfois dans le néant qu'on réagit le mieux et que l'on peut réfléchir.

– Et alors ? Où en suis-je ?

– Regarde les gens dans ce wagon. Par exemple le clodo assis à côté de la porte. Il est alcoolo, drogué et clochard.

« Et il n'a pas la force morale, ni la force physique pour se sortir de là. Il est triste, il est intelligent, mais il ne le sait pas. Il l'a su, quand il était actif, mais il a perdu confiance en lui, il a peur et il se détruit à force d'avoir peur.

– Où veux-tu en venir ?

– Ce que j'essaie de t'expliquer, c'est que beaucoup d'entre vous préfèrent se plaindre, je dirais même qu'ils se délectent de leurs drames. Ils s'y complaisent. Celui qui aura le plus de tragédies dans la journée sera le vainqueur.

« Ce que tu peux faire, ce que tu dois faire, c'est de voir ton quotidien de façon positive. Tout n'est pas à jeter, même dans une journée de merde ! Il faut que les cellules de ton cerveau prennent l'habitude de penser positif.

– Ouais… Et comment ? Comment on fait, quand tout s'effondre ?

– D'abord, t'accepter, sans t'infliger à toi-même une quelconque punition. Ce qui n'a pas fonctionné aujourd'hui fonctionnera mieux la prochaine fois. Te répéter chaque jour que tu vas passer une excellente journée – et le penser. Inutile de le claironner sur les toits, tu passerais pour une prétentieuse – ou une écervelée.

« Laisse les autres hurler. Celui qui crie est un malheureux qui a besoin de reconnaissance. Il tâche d'attirer l'attention, pour mieux phagocyter les autres.

« Ton psychiatre, Gérard Lopez, parle dans l'un de ses livres de "vampirisme au quotidien" – notamment de la rumeur, cette stratégie de communication performante utilisée partout pour déstabiliser son adversaire. Certaines d'entre elles contiennent une part de vérité, d'autres sont des montages pervers. Il explique aussi cette foule en délire, attirée par un miroir fantasmatique, emportée par des opinions contradictoires sans fondement. La rumeur, lorsqu'on y croit, devient certitude, et même réalité.

« Et elle peut véritablement briser la vie de quelqu'un. Regarde, les racontars qui ont couru sur toi ! Tu as bien vu les plaies qu'elles t'ont infligées !

« Les gens se retrouvent souvent dans une situation qui au départ n'est pas forcément de leur faute, mais si la situation persiste, si elle se reproduit, c'est parce qu'eux seuls l'ont décidé. Pourquoi continuez-vous de souffrir, puisque la situation de départ ne vous correspond pas de toute façon ? Si quelqu'un t'agresse, verbalement, et que tu t'y complaises, c'est ton choix. Ne te plains pas, tu auras décidé de l'encourager, d'encourager ses délires, en les acceptant.

« Le bonheur n'est pas inaccessible. C'est une question de point de vue.

Ma grand-mère maternelle, Marie-Louise, sur-nommée « Malise », nous quitta, cette année-là. Elle m'avait accueillie chez elle, quand j'étais montée à Paris, sans jamais me poser de questions. Même ces derniers temps, elle savait se montrer accueillante, sans jamais être inquisitrice. Au fond, peut-être savait-elle ?

Elle gardait toujours à portée de main une boîte de chocolat – « ma drogue », disait-elle. Elle parlait peu de ses souvenirs, sinon pour évoquer sa famille. Elle était l'une des mémoires de son frère, Marcel. Dans un couloir interminable et poussiéreux, elle conservait les articles et les livres écrits par ce frère adoré et glorifié. D'autres photos, d'autres coupures de presse, ma mère toute jeune en compagnie de mon père.

Le jour des obsèques, toute la famille s'est rendue dans son appartement, qu'elle avait toujours refusé de quitter : elle était presque aveugle, et elle se retrouvait au milieu de ses objets familiers. Ma mère était là, et nous ne nous sommes pas adressé la parole.

Mon dernier souvenir de ma grand-mère mater-nelle sera d'avoir mangé avec elle, en compagnie de ma cousine, de ma tante préférée, et de son mari, un éclair au chocolat… Elle avait un merveilleux sou-rire, plein d'affection…

*Eux*

En rentrant des obsèque, je reçois une convocation officielle du tribunal de Pontoise : les assises ! Et la convocation fait remonter la peur. Comment disait Jackie, déjà ? « Je sais que tu fais des efforts, que c'est pas facile, que tu es fatiguée… Ne baisse pas les bras. Et ne cesse jamais de penser que tu vas y arriver. Ne cesse jamais d'y croire. Ne doute pas de toi, et ne sois pas si dure avec toi-même. La fin approche. »

Le plus étrange c'est que mon quotidien journalistique finit par rejoindre mon histoire. Ce mois-là, je couvre trois affaires sordides aux assises. Et c'est un peu comme si j'assistais, mandatée par la chaîne, à mon propre procès – avec une longueur d'avance.

Première affaire : un « couple diabolique », comme les appelle la presse, accusé de six meurtres – tous des membres de leur famille. Le principal suspect, un pasteur autoritaire, doué d'un fort ascendant psychologique, machiavélique, aurait, selon les déclarations de sa fille, découpé les corps à la hache, pour les cacher ensuite sous une dalle de béton. D'autres sources affirment qu'une fois la terrible tâche accomplie, il aurait tenté de dissoudre les cadavres découpés dans de l'acide, avant d'envoyer les restes dans une usine de farines animales.

Le compte rendu de cette audience me met les tripes à l'envers. Comme aurait dit Jackie : « Ce genre d'affaires, ce n'est pas pour toi. » Mais comment résister à l'injonction d'un rédacteur en chef qui vous demande de réaliser un commentaire ? Sans rien laisser paraître de ma vie personnelle ?

La seconde affaire, un jeune, tout jeune homme accusé du meurtre de deux garçonnets de huit ans. Perpétuité – mais l'affaire va connaître une péripétie inattendue.

La présence à l'heure du crime d'un tueur en série déjà connu des services de police a permis aux avocats de l'accusé de déposer une nouvelle requête. La commission a accepté de réviser le dossier, en le soumettant à la chambre criminelle de la cour de cassation. Le tueur en série reconnaît avoir vu les enfants le jour du crime, mais nie en être l'auteur. Sa présence constitue néanmoins un fait nouveau, ce qui fait naître un doute sur la culpabilité de l'accusé. L'avocat général s'oppose à l'annulation de la condamnation du détenu, déclarant que l'implication du tueur en série n'est qu'une hypothèse, non vérifiée à ce jour. Quelques mois plus tard, la cour annule la condamnation à perpétuité, mais refuse de le remettre en liberté, en attendant le prochain jugement, en accord avec l'avocat général. Second procès (l'accusé a désormais trente et un ans, voilà plus de dix ans qu'il est derrière les barreaux). Il restera en prison, condamné à vingt-cinq ans de réclusion criminelle par la cour d'assises, qui ne lui reconnaît toujours pas l'excuse de minorité. Il fait donc appel. Les caméras se ruent et suivent l'avocat de la défense, quêtant ses déclarations et celles des parents de l'accusé. Je laisse mes confrères, visiblement très occupés, et décide de retourner vers l'enceinte même de la cour. J'ai à la main une caméra légère, et je décroche, dans la salle d'audience à présent vide, une interview de la grand-mère de l'une des victimes. La vieille dame a assisté au procès, et malgré le fait qu'elle ait perdu l'un de ses petits-enfants, elle pense l'accusé non coupable de ces meurtres, revenant sur des détails cités par la cour, des pièces à conviction fournies par la défense. « C'est bien, c'est intéressant », me déclare le rédacteur en chef du moment, en visionnant le contenu de ma cassette – mais il refuse de le diffuser à l'antenne. Les vingt-cinq ans lui suffisent. Le troisième procès, en appel, eut bien lieu. Selon la police, les crimes portaient la signature du tueur en série, et l'accusé est enfin acquitté, il sort de prison le soir même aux environs de 22 heures. La vieille dame avait raison. L'ex-jeune homme est à présent libre, avec une indemnité d'un million d'euros, pour plus de quinze ans de taule.

Cette affaire me tenait à cœur, et j'étais ravie de voir cet homme libre.

Mon rédac-chef fut renvoyé, j'étais encore en place – plus pour longtemps. Une troisième affaire m'envoya devant la cour d'assises qui devait, quelque temps plus tard, s'occuper de mon cas.

Je préparais sérieusement mon audition. Mon avocat me fournit et me fit étudier sérieusement les différentes pièces. Le procès-verbal initial. Celui de l'audition de mon père dont la mauvaise foi est allée si loin qu'il s'en est pris à la police de Neuilly qu'il a accusée de l'avoir contraint à commettre des infractions au code de la route pour rattraper le temps perdu. Celle, plus détaillée, de l'adjudant qui avait mené l'enquête. Et trouvé les preuves. La police a enquêté d'abord autour des distributeurs où mes agresseurs avaient prélevé de l'argent avec ma carte de crédit. Manifestement, ils connaissaient les lieux. Puis la police scientifique a analysé en détail ma voiture.

« Un rapport d'examen scientifique, précise le rapport des enquêteurs, indique que suite aux prélèvements effectués dans le véhicule de la victime, de très nombreux poils humains et d'origine animale ont été découverts à la surface des vêtements et des objets scellés. Parmi les poils observés, on remarque la présence de différents groupes de cheveux et poils pouvant laisser penser qu'ils appartiennent à des personnes distinctes. D'autre part, les poils humains d'un diamètre important sont susceptibles de correspondre à des poils ne provenant pas d'une chevelure. D'autres profils génétiques ont été établis à partir de prélèvements sanguins effectués sur les trois personnes inculpées et de cette comparaison, il ressort que trois empreintes génétiques parmi les huit déterminées correspondent à celles établies lors des précédents dossiers. L'ensemble des traitements effectués sur le véhicule a permis de révéler six traces. Un sac plastique de couleur marron a été prélevé dans le véhicule par nos soins et mis sous scellés par les techniciens en investigations criminelles. L'observation de la carrosserie du véhicule a permis de mettre en évidence les traces suivantes :

– Trace prélevée sur le pare-brise avant à 10 mm du bord droit et à 10 mm du bas. La qualité de celle-ci ne permet pas une classification, elle est inexploitable.

– Trace prélevée sur le joint de la vitre de la portière passager à 110 mm du bord gauche et 50 mm du haut. La qualité de celle-ci ne permet pas une classification, elle est inexploitable.

– Trace prélevée sur le joint du bas du pare-brise arrière à 185 mm du bord droit. Elle appartient à la famille des verticilles et est exploitable. La révélation de l'intérieur de l'habitacle a été effectuée à l'aide du cyanoacrylate, ce qui a permis de mettre en évidence d'autres traces.

– Trace prélevée à 45 mm en dessous de la vitre arrière droite et à 355 mm du montant de la porte. Cette empreinte palmaire est identifiable, cependant, la recherche de ce type d'empreinte au fichier automatisé des empreintes digitales est impossible. »

L'avocat me montra aussi des photos. Prises en vue aérienne, elles me firent revisiter les lieux du crime, de jour. Il me fit relire mes précédentes déclarations, pour me rappeler ma défense. Les investigations ordonnées par le juge d'instruction. Les témoins qui avaient été interpellés, et ceux qui allaient se présenter à la barre, les portraits physiques et psychologiques de chaque criminel.

Ce fut un long travail, mais indispensable. J'étais désormais prête à vivre ce procès, face à des jurés, face à cette cour. Ma tête est farcie de faits, trop peut-être. « Allez, tout se passera très bien, me souffle Jackie. Tu vas voir ce qu'ils vont prendre, les mecs ! », ajoute-t-elle. Hum ! Dans toutes les affaires de viol que j'ai traitées et suivies, le verdict était, en

moyenne, de cinq à dix ans. Pas plus. « Non, non, ils vont ramasser le maximum. »
Mamie, pourvu que tu aies raison !

Deux jours à huis clos.
Le premier jour d'audience, mon avocat passe me prendre à mon domicile. Dans la voiture, nous sommes tous les deux étrangement silencieux – concentrés. Puis il rompt le silence.
– Ce procès ne va pas être facile pour vous, pour personne d'ailleurs. Bien que nous, avocats, nous ayons l'habitude de ce genre d'affaires. Et les magistrats pourront en juger. Le plus souvent, pour ne pas dire presque toujours, ces crimes se passent dans la soudaineté d'une pulsion sexuelle qui les a pris par surprise –, ce qui n'enlève rien au caractère odieux de votre agression. En revanche, ce que je vous conseille, c'est de garder tout votre calme devant cette cour.
– Pour quelle raison ?
– Oh, je sais bien ce que vous pensez, mais le jury, lui, risque d'être plus conciliant face à une partie civile inébranlable, et le sera beaucoup moins avec les coupables, notamment lors du verdict.

Le président est une présidente, les jurés sont de tous types, de tous âges, de toutes origines. Un avocat général qui connaît apparemment bien le dossier, une partie civile pugnace, et maître Philippe Lemaire.
La présidente fait entrer les inculpés. L'avocat général résume l'affaire du 25 décembre 1999 à 2 h 30

du matin, face à la cour. L'expert-psychiatre est convoqué à la barre, afin de dresser le portrait physique et psychologique des accusés – et le mien.

C'est quelque chose, d'avoir sa vie entière étalée devant une cour d'assises.

Née le 4 décembre : jusque-là, ce n'est pas trop compromettant. Ni le déroulement de ma carrière scolaire ou professionnelle.

Mais voilà qu'il spécifie ensuite la date de mes premières règles, le détail de mes relations amoureuses : « Le sujet a été pubère assez tardivement, vers dix-sept ans. Elle était timide, mal informée sur la sexualité par sa famille. Elle n'a eu ses premiers flirts qu'à seize ans. Elle a eu sa première relation sexuelle à dix-huit ans avec un homme de vingt-trois ans.

« À Paris, elle est restée deux ans et demi avec XXX, âgé de vingt-huit ans. Elle en était amoureuse au début, a rompu ensuite pour des agissements liés à l'alcool.

« Elle est restée ensuite six mois avec XXX. Le sujet découvre qu'il a une double vie, il promet de l'épouser, puis part sans explication.

« Au moment des faits, elle avait une liaison avec XXX, un proche de la famille. À la suite des faits, il n'a pas supporté, n'a pas soutenu la victime, l'a quittée au bout de deux mois. Depuis les faits, Cynthia Sardou n'a pas eu de relations sexuelles… »

Suit mon examen psychologique : et tout y passe, qui s'est marié avec qui, à quelle date – et des noms, tous les noms, tous les détails, de mes relations difficiles avec mon ex-beau-père à mes angoisses alimentaires.

À croire que la cour veut rédiger ma biographie intime.

« Cynthia Sardou est une jeune femme de vingt-six ans dont la personnalité est normalement structurée, malgré une enfance perturbée par une éducation à la limite de la maltraitance.

« Cynthia a réussi à s'adapter et à se construire. Elle a toutefois gardé une sensibilité importante et une certaine méfiance dans ses relations affectives.

« On note qu'elle a toujours eu une fragilité sur le plan de l'humeur, mais qu'elle a réussi jusqu'à présent à reprendre confiance en elle et à lutter contre son anxiété.

« C'est une jeune femme intelligente, qui analyse avec finesse ses émotions et ses sentiments. Elle est capable d'établir des relations de très bonne qualité.

« C'est dans un sentiment de forte angoisse de mort que le sujet a vécu les faits. Elle a été sidérée, paralysée par la terreur dans un premier temps, puis elle a ressenti un fort désir de survivre, ce qui l'a aidée à s'adapter à la relation qu'elle devait subir, au point de mimer par moments une attitude coopérante pour avoir la vie sauve.

« Le retentissement post-traumatique a été très important sur le plan psychologique. Elle a vu sa vie bouleversée. Elle a traversé une phase dépressive, des pertes de mémoire, et son angoisse est encore bien présente et la perturbe dans ses activités sociales et dans son travail.

« Sur le plan de sa féminité elle ressent une forte dépréciation, elle pense être salie. Les répercussions sur sa vie affectivo-sexuelle sont importantes, avec depuis les faits une inhibition de son désir et un dégoût lié aux odeurs sexuelles.

« Le sujet est suivi par le docteur Gérard Lopez. Elle a suivi un traitement médicamenteux VIH au départ – puis anxiolytiques et antidépresseurs. Plus de deux ans après les faits, elle doit encore prendre un traitement sédatif pour lutter contre ses troubles du sommeil.

« C'est une jeune femme volontaire, qui a fait des efforts considérables pour dépasser ses troubles, mais se sent marquée à vie.

« Conclusion : Cynthia Sardou ne présente pas, dans sa personnalité, d'anomalies mentales ou psychologiques avant les faits. C'est une jeune femme adroite qui s'est toujours bien adaptée socialement et professionnellement. Suite aux faits récents, le choc post-traumatique fut important. Aujourd'hui, Cynthia Sardou a récupéré certaines de ses capacités de concentration et de fixation. »

La présidente du tribunal s'adresse de nouveau à l'expert-psychiatre, afin qu'il dresse les portraits des trois prévenus.

« M. B. F. est l'aîné de quatre enfants. Ses parents d'origine marocaine travaillent, son père étant chef de cuisine et sa mère, femme de ménage. Il a suivi une scolarité normale jusqu'à l'âge de seize ans et a passé le brevet des collèges. L'audition de certains de ses enseignants confirme une scolarité sans problème, à part un professeur de technologie de quatrième, qui le décrivait comme faible, faux, mentant fréquemment et souvent absent sans motif. Un autre enseignant soulignait son côté malin, sachant qu'il devait faire bonne impression en classe, mais n'hésitant pas à commettre des bêtises en dehors, sans en être à l'origine, mais comme un bon suiveur. Il dit n'avoir aucun ami. Il a fait neuf ans de judo et a terminé ceinture noire.

« Il a déclaré avoir été violé quelques années plus tôt, mais refuse de parler de cette affaire… »

L'expert-psychiatre dépeint une personnalité avec des éléments d'impulsivité et d'intolérance à la frustration évoquant un profil psychopathique. Une toxicomanie moyenne au cannabis est constatée par l'expert. Il note également une problématique dépressive, en lien avec le viol dont il dit avoir été victime, et des idées suicidaires. Il conclut que B. F. est pénalement responsable de ses actes.

L'expert-psychologue confirme ce tableau, ajoutant qu'il s'agit d'un sujet intelligent, n'ayant pas une bonne image de lui-même et pourtant dominateur, autoritaire et capable d'impressionner. Il note une tendance à rejeter sur autrui la responsabilité de ses actes.

Sur le plan affectivo-sexuel, son manque d'assurance narcissique se traduit par un refus de se lier affectivement avec les femmes, « réduisant ses partenaires féminines à des objets utiles le temps d'une soirée ».

Son casier judiciaire fait mention d'une condamnation le 15 septembre 1999 à deux mois d'emprisonnement avec sursis, assortis d'un travail d'intérêt général, pour vol et escroquerie. Depuis lors, il a été condamné par la 14ᵉ Chambre du tribunal correctionnel, le 4 avril 2001, pour des faits d'agression sexuelle aggravée (faits commis seul) et de vol aggravé (commis avec K. M.) à une peine d'emprisonnement ferme de quatre années. Il s'agit d'une agression sexuelle en tous points similaires à l'affaire présente.

M. K. M., d'origine turque, est l'aîné de deux enfants. Ses parents ont divorcé lorsqu'il avait un an et demi, date à laquelle il est parti vivre en Turquie chez ses grands-parents maternels pendant trois ans. Son père est venu le chercher et l'a ramené en France où il a vécu avec sa nouvelle épouse. De ce second mariage, sont nés deux enfants. Selon lui, sa mère serait décédée en Turquie, fait démenti par son père.

Il a suivi une scolarité médiocre jusqu'à la cinquième où il a arrêté ses études, du fait de trop importants problèmes de discipline. Il a confié à l'expert-psychologue qu'il aimait l'école « pour faire des conneries ». Il est parti de son domicile familial en 1998, suite à une dispute avec son père. Il a été suivi à l'âge de quinze ans par un juge des enfants et a été placé dans différents foyers, où il a eu sa première relation sexuelle, à l'âge de quinze ans, avec une jeune fille qui devait l'accuser de viol et d'agression sexuelle : l'affaire a été classée sans suite.

La plupart des personnes entendues décrivent une personnalité polie, gentille lorsqu'il était soit à la maison soit face aux éducateurs des foyers, contrastant avec une personnalité toute différente, violente et agressive, à l'extérieur, soulignant parfois une tendance à se laisser entraîner par de mauvaises fréquentations. Selon l'expertise psychiatrique, il a une intelligence normale, structurée, une sensibilité impulsive et immature, évoquant une personnalité psychopathique. Toxicomanie avérée au cannabis (environ 3 grammes par jour depuis ses quinze ans). Quant aux faits, K. M. semble les regretter. Il se dit navré, manifeste honte et remords, et paraît s'identifier à la victime. Il est pénalement responsable de ses actes.

L'expertise psychologique confirme le tableau, ajoutant des troubles du comportement précoces dus à des carences affectives, une scolarité difficile ayant très vite centré sa vie sur l'acquisition facile des biens matériels, la fuite des frustrations et des contraintes –, confirmant aussi le diagnostic de personnalité psychopathique. On note une difficulté à établir des relations affectives : il ne s'attache pas et tient les femmes à distance, avec mépris. Grande immaturité : il rêve d'une vie de confort matériel obtenue sans effort. Le caractère vif et impulsif est confirmé, l'expert ajoute qu'il résout ses problèmes par la violence. Son intelligence est qualifiée de moyenne à faible.

Le casier judiciaire de K. M. ne faisait état d'aucune condamnation lors des faits. Depuis, il a été condamné par la 14ᵉ Chambre du tribunal correctionnel le 4 avril 2001 pour des faits de vol aggravé commis avec B. F.

M. O. B., de nationalité turque, est le cadet de cinq enfants. Il est né en Turquie et y est resté jusqu'à l'âge de onze ans, date à laquelle sa mère est venue avec les enfants rejoindre son père qui se trouvait en France depuis huit ans déjà. De ce fait, il n'a pas été élevé par son père qu'il ne voyait, jusqu'à l'âge de onze ans, qu'un mois durant l'été.

Son père, aujourd'hui décédé, travaillait comme cordonnier. Sa mère ne parle pas le français, et il parle turc avec elle à la maison.

Il a suivi une scolarité normale jusqu'en troisième, puis a commencé un CAP de cuisine qu'il n'a pas terminé, suite au décès de son père en 1996. Depuis lors, il a travaillé comme cuisinier dans divers restaurants. Un collègue de travail le décrit comme quelqu'un de sympathique et de sérieux. Un autre de ses patrons dresse un portrait peu flatteur de lui – toujours en retard, il lui arrivait même de ne pas venir travailler, sans fournir d'explications. Il a été licencié, est revenu menacer son ex-patron, ce qui a provoqué une bagarre entre eux, qui a fait l'objet d'un dépôt de plainte classée sans suite.

Une gérante de cafétéria, qui l'avait engagé en contrat d'apprentissage de cuisine, n'a pas renouvelé son contrat, suite à des problèmes de comportement. Cette gérante a déclaré qu'il ne supportait pas d'être commandé par une femme. Il avait par ailleurs des comportements irrespectueux à l'égard des femmes en général, regardant sous leurs jupes lorsqu'elles montaient les escaliers, par exemple. En ce qui concerne les faits, il se décrit à l'expert comme fasciné et très impressionné par ses deux amis, plutôt marginaux. Il pense avoir été naïf, n'ayant compris que petit à petit leurs intentions délictueuses ; il ne comprend pas comment il a pu être gagné par l'excitation de cette situation, alors qu'il avait toutes les possibilités pour ne pas les suivre. Il exprime des regrets par rapport à la victime, mais montre peu d'empathie, son émotion restant très contrôlée. Il a tendance à banaliser les faits de manière assez immature, faisant peu d'effort pour comprendre ses actes. Il s'agit d'un sujet peu sûr de lui, anxieux, ayant besoin d'être rassuré et reconnu, de façon névrotique.

L'expert-psychiatre confirme ce tableau, ajoutant qu'il présente une immaturité psychique évidente et que sa personnalité est caractérisée par un profil névrotique avec quelques traits obsessionnels (collections, ordre…)

O. B. a déclaré à l'expert qu'il avait peur de F. B. et que ce dernier l'avait menacé de lui crever les pneus de sa voiture s'il ne l'amenait pas au travail. Il éprouve de la culpabilité pour ce qu'il a fait, il est pénalement responsable de ses actes.

Le casier judiciaire de O. B. ne fait mention d'aucune condamnation.

Durant le procès, plusieurs témoins viennent à la barre. L'un des policiers qui s'est chargé de l'affaire commente toutes les explorations entreprises depuis les faits.

« À son arrivée à la brigade, explique-t-il, la victime était en état de choc. Elle tremblait, avait les yeux rougis. Après avoir recueilli une première déclaration verbale, elle a été transportée au centre hospitalier pour y subir un examen médical. Une première expertise technique et scientifique est alors réalisée sur le véhicule de la victime, transporté à l'institut de recherche criminelle pour un examen approfondi. Divers objets y sont saisis, et des prélèvements sont effectués. Les expertises d'ADN effectuées ont permis de localiser des traces biologiques appartenant à B. F. sur un mégot de cigarette et à l'intérieur du premier préservatif, retrouvé sur les lieux. D'autres traces biologiques appartenant à K. M. ont été mises en évidence sur le même mégot de cigarette, ainsi qu'à l'intérieur du second préservatif. Enfin, l'ADN de O. B. était quant à lui découvert à même les dessous féminins de la victime, dans les prélèvements vaginaux, sur le mégot d'une autre cigarette ainsi que sur l'extérieur du préservatif utilisé par K. M.

« De longues investigations centrées sur l'utilisation du téléphone portable volé à la victime ont permis effectivement de remonter jusqu'à B. F., qui était incarcéré en détention provisoire dans une maison d'arrêt en banlieue parisienne, dans le cadre d'une affaire de vol de véhicule et extorsion de fonds sous la menace d'une arme blanche, suivi d'une agression sexuelle. Le coauteur restait à interpeller, il s'agissait de K. M. L'environnement des utilisateurs du portable volé permettait par ailleurs d'identifier un nommé O. R. Un album photographique regroupant une vingtaine de suspects dont B. F., K. M. et O. R. était présenté à Mlle Sardou qui reconnaissait formellement B., comme le premier agresseur. Elle désignait également avec moins de certitude le nommé O. R., hésitant avec un autre individu, qui était en fait, l'un des cousins éloigné de O. B. Par ailleurs, nous avons en notre possession des pièces à conviction, comme ce couteau souillé de sang. Nous avons retrouvé cette arme au moment de l'interpellation de l'un des inculpés, ainsi qu'une boîte de préservatifs. Les éléments donnés par la victime ont été pour la plupart capitaux pour le déroulement de cette enquête, et je précise qu'à chaque fois que la victime a été confrontée à la vue de photos de malfaiteurs, à la présentation de plusieurs individus identifiés et choisis par l'équipe de la police judiciaire, elle n'a jamais désigné un criminel à la place d'un autre. »

Le médecin légiste confirme les viols. Il explique en outre les conséquences secondaires du traitement médicamenteux pris par la victime après les faits, ainsi que les répercussions possibles, psychologiques et physiques – perte de poids, fatigue ou pertes de conscience.

La plaidoirie de la partie civile débute. Maître Philippe Lemaire, l'un des principaux contempteurs de la peine de mort en France, parle de son sujet de prédilection –, l'inefficacité de la peine capitale quant à la rédemption du criminel.

J'avais l'esprit en éveil, mais mon corps avait, lui, du mal à suivre.

De ce que maître Lemaire a dit devant les jurés ce jour-là, je me souviens notamment de « l'éloge » de la cigarette du bagnard, métaphore d'une réflexion sur mon sort. N'avais-je pas été, moi-même, condamnée par ces trois types ? Ne m'avaient-ils pas fait languir, dans l'angoisse, dans l'attente de mon exécution ? Ne m'avaient-ils pas fait subir un sort pire que la mort ? Et ne se racontaient-ils pas qu'ils n'étaient en rien coupables ?

Chez un condamné à mort, il n'y a ni de langage, ni même de jargon. Mais des signes hagards, dans une linguistique bien particulière. Il devra apprendre à vivre sur le fil du néant, le fil de la folie, dans sa névrose. N'avais-je pas été transportée dans un univers sans communication, où je devais interpréter chaque signe, en m'efforçant de rester calme, de ne pas sombrer dans la folie ou l'hystérie ?

La cellule sera surveillée jour et nuit par une caméra. Le condamné attend, les yeux rivés sur une porte blindée, – sur la portière d'un véhicule. Il suspend son souffle au bruit d'une clé –, ou à celui d'un pas foulant les graviers, à l'extérieur. Il a des frissons dans le bras gauche, des tremblements dans tout le dos. L'esprit est en alerte, il erre en pleine confusion. Il est bien faible, l'intervalle qui vous sépare du couloir de la mort –, si faible qu'il n'y en a plus. La peur au ventre. L'angle de vue est limité, il lui permet tout juste d'apercevoir une buée sur une fenêtre unique, quelques trous percés dans une plaque de fer. La sueur d'angoisse ne sèche pas sur le visage d'un criminel, ni celle de la chaleur de l'été.

Même au jour de Noël…

Avant son exécution, le condamné récitera une vague prière avec un prêtre, pendant que l'exécuteur attend – attend que sa victime termine sa cigarette. On lui place un bandeau sur les yeux – ou un chapeau noir feutré sur le visage. On lui lie les mains, les bras, les jambes, puis la corde au cou. Ou un couteau sur la gorge. Une trappe, et trois mètres de chute. Ou bien trois boutons commandés par trois gardiens en même temps, pendant l'exécution. N'est-ce pas la même chose que ces trois criminels commanditant trente futurs membres, bouleversant la chair, imaginant une explosion fatidique dans une auto ? L'un des boutons est neutralisé un instant, afin que chacun des bourreaux de l'exécuté puisse se raconter qu'il n'a pas été le donneur de mort. Puisse se raconter qu'elle était consentante…

Et une fois les faits accomplis, ils ont droit, bourreaux ou violeurs, à une gorgée de bière, ou une virée de baise et de fric, en attendant la proie suivante, en patientant jusqu'à la prochaine charrette des futurs condamnés…

J'appréhendais le moment fatal du passage à la barre. Ce crime que j'avais subi de plein fouet, ces déclarations que j'avais calculées, préparées, rien n'était comme je l'avais prévu.

Je me lève enfin face à la cour, et je raconte, encore une fois, dans le moindre détail, ce fameux soir, du départ de la chaîne jusqu'à la fin du cauchemar. Et puis les jours et les semaines qui ont suivi, et le début d'autres obsessions. J'évoque durant une heure et demie, calmement, les crimes, et mon épuisement. Je conclus en disant que je ne souhaite à personne de vivre une telle épreuve.

Je me retourne alors vers ma droite, vers les trois accusés, et leur lance :

– Pas même à un criminel.

Deuxième jour d'audience. Je reçois de ma belle-mère un bouquet de fleurs, des lilas, avec un mot écrit de sa main. Ma tante me donne un coup de fil en signe de soutien affectif et moral. Mon psychiatre m'appelle et prend des nouvelles, ma marraine vit la cour en même temps que moi, avec le même émoi. Ma meilleure amie, Eva, est à Paris, rien que pour moi. Elle qui faisait mes devoirs pour que je ne me fasse pas gronder. Elle qui m'a toujours soutenue. Brillante, aimante, d'une bonté sans nom, sans limite. Une bouille ravie de petite Espagnole qui sourit tout le temps, une joie de vivre permanente. Une femme à qui on a envie de ressembler. Et Dieu sait qu'elle fut critiquée par mon entourage. Mais je connais des potiches blondes qui ne lui arrivent pas à la cheville.

Mon père, lui, est en tournée : aucun signe de vie ou d'encouragement.

Mon avocat est déjà sur place, l'un de mes frères nous accompagne en voiture à l'audience, Eva et moi. Nous nous repassons avec elle, ensemble, le film du premier jour d'audience. Je me tourne vers Eva : « Vers quel verdict va le procès ? » Impossible de le déterminer pour l'instant, m'affirme-t-elle. Même si les preuves sont nombreuses, les accusés ont une défense efficace, une autre plaidoirie reste à prononcer, rien n'est joué. Je reste concentrée sur l'événement.

La présidente du tribunal s'adresse aux accusés. B. F. est entendu. Il confirme le déroulement des faits concernant l'enlèvement, précisant que c'était K. M. qui a fouillé le sac de la victime, a trouvé la carte bleue et en a obtenu sans problème le code. Pour le couteau, il appartenait à O. B. Mais il reconnaît le retrait d'une somme d'argent dans un distributeur. Pour la suite du trajet, O. B. roulait devant le véhicule de la victime, il leur montrait la route et les avait menés jusqu'à l'endroit du viol. Selon lui, c'est B. F. qui a le premier proposé de s'amuser avec elle. Il a demandé alors à O. B. d'aller garer son véhicule plus loin. B. F., le leader, voulait passer en premier, mais O. B. lui a dit qu'il valait mieux discuter avec elle d'abord. Il l'a convaincue de se laisser faire. D'après lui, il n'était plus armé lors de cette discussion. Le déroulement du viol collectif s'est bien effectué comme il a été raconté. B. F. précise qu'il a jeté son préservatif en sortant du véhicule. Non, il ne se souvient pas d'un autre vol que la carte bancaire et l'argent liquide pris aux distributeurs, contrairement aux déclarations faites par K. M. qui précisait qu'il avait emporté le téléphone portable (curieusement, lors de la confrontation, K. M. affirmait avoir pris lui-même le portable). Il est pourtant probable que, finalement, ce téléphone portable a fini entre les mains de O. B.

En effet, le frère de O. B., prénommé R., a raconté que fin janvier 2000, O. B. lui avait donné un téléphone identique, qui se révéla être celui volé durant l'agression. Un appareil qu'il avait ensuite confié à une amie, et qui avait été localisé par les enquêteurs. Il nie avoir mis le couteau sous la gorge de la victime, reconnaissant seulement le lui avoir mis devant les yeux. Il minimise enfin les menaces rappelées par la partie civile.

B. F. (le leader toujours), qui a refusé de s'expliquer plus avant, prend à partie violemment le magistrat instructeur qui se voit contraint d'interrompre l'interrogatoire.

En fait, une partie de leur défense consiste à se renvoyer la balle. Qui a, le premier, eu l'idée de s'arrêter pour prendre de l'argent au distributeur ? Qui a eu l'idée de me violer le premier ? Qui possédait le couteau ? Que comptaient-ils en faire ? L'un soutient qu'il a eu constamment des scrupules, l'autre affirme qu'il ne voulait pas, que les faits ne se sont pas passés ainsi, qu'il n'a pas exigé de fellation, que si je n'y ai pas trouvé de plaisir, je ne me plaignais pas non plus, que j'étais peut-être consentante… Et que de consentante à provocatrice, il n'y a qu'un pas.

J'apprends en tout cas qu'ils avaient eu l'idée de brûler le véhicule pour effacer d'éventuelles traces – après m'en avoir fait sortir, affirment-ils.
Trop aimables…

O. B., à son tour entendu, confirme la virée à Paris – mais la présente comme presque imposée par les deux autres, lui-même n'étant pas bien d'accord. Pour le convaincre, B. F. lui a même proposé de faire à ses frais le plein de son véhicule. Il se défausse sur ses petits camarades, quant à savoir qui a eu l'idée de suivre ma voiture. La décision fut-elle collégiale, comme le soutient B. F. ? Ce dernier fut-il, toujours, le maître d'œuvre de l'agression ? Et le couteau ? « J'ai vu le véhicule ressortir avec B. F. au volant et K. M. derrière, qui tenait un truc sur elle.» Ultérieurement, il soutiendra qu'il n'avait pas tout de suite compris que la victime était avec eux, pour finalement le reconnaître. À l'en croire, lui suivait, il ne menait pas.

Il raconte encore un épisode non mentionné par les deux autres. En effet, j'avais profité de la discussion entre mes trois agresseurs pour m'enfermer dans la voiture en baissant les boutons de portières : « B. F. a dû passer par le coffre arrière pour lui ordonner de lâcher les boutons de fermeture, en la menaçant de mettre le feu à la voiture.» Et comme je ne voulais pas me laisser faire, « B. F. l'a menacée de la ramener dans leur cité, pour la livrer à trente mecs…»

Selon lui, c'est également B. F. qui a fixé l'ordre de passage, violant la victime en premier, puis écartant K. M. qui voulait prendre son tour pour imposer O. B. comme second violeur. B. F. a également fourni les préservatifs tirés d'une boîte qu'il lui avait montrée avant leur départ vers Paris. Il a aussi attribué à chacun d'eux de faux prénoms à utiliser devant elle.

O. B. soutient qu'il n'était pas d'accord au début. « Mais comme ils me prenaient la tête, j'y suis allé. » Ils lui parlaient comme s'il était puceau, ce qui l'avait incité à céder à leur demande. Il reconnaît la fellation avec préservatif, ainsi que la pénétration vaginale. « Elle était très choquée, et elle pleurait. » C'est lui qui m'a indiqué la route pour repartir avant de quitter le véhicule – et de laisser la place à K. M. Il a conservé dans un premier temps son préservatif usagé dans un mouchoir en papier, et ne s'en est débarrassé qu'en partant, par la vitre de son véhicule. On ne l'a d'ailleurs pas retrouvé. Après le viol, B. F. n'envisageait pas de me rendre les clés du véhicule. C'est O. B., à ce qu'il prétend, qui l'a convaincu du contraire.

Reste K. M. Il se montre particulièrement coopératif. Il reconnaît tout ce que l'on veut bien lui mettre sur le dos, et raconte tout avec force détails. La décision initiale. Le désir d'aller passer le week-end à Deauville, mais faute d'argent… Le couteau sur la gorge : « Tu fermes ta gueule ou je te plante. » Les retraits d'argent aux différents distributeurs. Non, il ne m'a pas menacée pour obtenir le code, il avait juste le couteau à la main… Il était passé le troisième. Oui, je pleurais, ça, il pouvait le confirmer. Non, il ne voulait pas le faire, au départ. Mais « c'était un délire comme un autre, et je m'en bats les couilles ». Et quant à l'idée de brûler la voiture, c'est

B. F. qui l'a eue – sauf qu'il voulait me « cramer »
dedans. Vive. Merci beaucoup.

Plaidoirie de mon avocat. Il rappelle les faits (« Il
ne s'agit donc pas, pour reprendre leurs propos, ni
d'"une histoire absurde", ni d'"un délire comme un
autre", ni d'"une erreur", ce sont là de bien pauvres
mots, pour décrire l'horreur de ce que vous lui avez
fait subir… »), en tire toutes les conséquences, et
définit, en conclusion, ce que je suis aujourd'hui, ce
qu'ils ont fait de moi : « L'expert, à la question
"Quelles sont les perspectives, après un tel acte ?",
nous a déclaré "Jamais un souvenir comme celui-ci
ne s'efface, et rien ne sera jamais comme avant." "Je
veux juste vivre un tout petit peu, mais c'est invivable", nous a dit Cynthia Sardou.
   « Vous entendez, messieurs ! ajoute-t-il en se tour-
nant vers les trois hommes. C'est invivable ! Et de
cela, vous êtes responsables tous les trois. Parce
qu'un soir, vous avez décidé de venir, pour utiliser
votre langage, "vous faire une meuf". »

La fin du procès approche. J'arpente le hall du tribunal, l'estomac noué. Le café ne passe pas. J'aligne
les cigarettes. Eva me soutient du mieux qu'elle peut.
Je ne digère rien et ne me contiens plus.
   Trois heures d'attente pour le délibéré du verdict.
L'avocat général vient me rendre visite, et tente de
me rassurer. Il a requis dix-huit ans de réclusion criminelle pour B. F., seize ans pour K. M. et treize ans
pour O. B. Je le remercie du travail fait depuis le

début de cette enquête. « J'ai rarement vu une partie civile aussi solide », m'affirme-t-il. Le juge d'instruction chargé de l'affaire, qui n'était pas dans l'obligation de se rendre sur place, s'est pourtant rendu au tribunal, en geste d'assistance.

Maître Philippe Lemaire est tout réjoui des déclarations faites par les inculpés.

De son côté, mon frère s'entretient avec les enquêteurs, puis va chercher la presse. Les articles sont en cours de rédaction. Que lirai-je le lendemain dans les journaux ?

*« Les violeurs, retrouvés grâce au portable volé.*

*Le réveillon de Noël 1999 avait tourné au cauchemar pour une jeune femme, Sylvie, originaire de Neuilly-sur-Seine. Depuis hier matin, les trois hommes qui l'ont enlevée puis violée près de Cergy-Pontoise, comparaissent devant la cour d'assises du Val-d'Oise. Une audience à huis clos, un dossier qui laisse une victime profondément traumatisée par une nuit d'effroi.*

*Dans leurs premières auditions, les trois hommes, B. F..., K. M.... et O. B...., livrent leurs versions des faits, se rejetant l'initiative du viol, parlent de défi, voire d'amusement. Le verdict est attendu ce soir...*

*Le prénom de la victime a été volontairement modifié. »*

Tel est le chapeau de l'article, qui relate l'affaire plus en détail, tout en changeant effectivement tous les noms. Les taulards lisent la presse, et sont impitoyables

Appelez-moi Li Lou

entre eux. Dans leur loi, il y a le tireur et le pointeur. Le tireur est celui qui tue, qu'il s'agisse d'un crime passionnel ou accidentel. Honneur aux tireurs ! En revanche les pointeurs, les violeurs qui ont prémédité leur crime, sont méprisés, traités plus bas que terre. Traités, en général, comme ils ont traité leurs victimes.

Le verdict enfin : quinze ans, treize ans et dix ans de réclusion criminelle. Les faits étaient là. L'avocat général a effectivement prouvé qu'ils avaient prévu de voler, de violer – ainsi que la tentative de meurtre. Quant aux condamnés, ils ont définitivement avoué, devant la cour.

Je me sens vidée, asséchée, je tiens à peine debout. Mes nerfs lâchent, mon frère tente de me consoler : il m'avouera ensuite qu'il ne savait rien de toute cette affaire, qu'il se sentait idiot en apprenant ce que j'avais enduré. Je pleure comme une gamine. Nous parlons ensuite ensemble, de tout, de rien, de nos liens enfantins. J'ai appris ce jour-là, incidemment, que tout le monde savait ce que nous endurions, ma sœur et moi. Finalement, mon beau-père n'avait pas vraiment donné le change. On ne trompe pas tout le monde tout le temps.

Le tribunal a justifié toutes mes déclarations antérieures. Non, je ne suis pas mythomane, ni paranoïaque. Non, je n'ai rien inventé – pas plus devant la justice que devant l'écran de cet ordinateur où je raconte l'histoire de ma vie. En effet, depuis le début de cette affaire, j'ai effectué des recherches personnelles, avec la complicité de professionnels, notamment sur ces cadeaux envoyés à mon attention, ces coups de fils anonymes, et ces effractions faites à mon domicile. Je peux à présent mettre des noms derrière certaines voix qui se disaient anonymes au départ – elles ne le sont plus aujourd'hui –, et en mettre d'autres sur certains de ces cadeaux empoisonnés.

Affaire classée ? Il me reste à me reconstruire. Comment repartir dans l'existence ?

Le procès m'a exténuée. C'est comme si j'avais revécu une fois de plus les faits, comme si j'avais été à nouveau battue, insultée et violée à l'audience. Les récits successifs ont ranimé les visions d'horreur. Toute mon énergie est passée dans ces quelques journées. J'y ai revu ma vie tout entière.

C'est dans cette période que j'ai pris quelques bonnes résolutions. Ne plus mentir, même pour me protéger, ne plus accepter d'accepter. Ne plus feindre. Ne plus jouer le jeu. « Tu appartiens à une dynastie… » Dynastie mon cul, comme aurait dit Zazie dans le roman de Raymond Queneau…

Anne-Marie nous propose de passer dîner dans la maison familiale.

Je refuse. Je préfère rester avec Eva pour fêter l'événement. Mon frère s'y rend à ma place, il expliquera le détail de la dernière audience. Que serais-je donc allée faire à ce dîner ? Raconter les faits encore et encore ? Y supporter, en plus, un majordome qui se prend pour mon père quand il n'est pas là ? Et un père qui ouvre sans vergogne mes courriers personnels ?

Non. Absolument rien. J'avais envie de passer un peu de bon temps, sans perdre mon temps.

Une soirée était prévue le lendemain, une sortie en boîte de nuit avant de trouver un repos mérité en Espagne. Moi qui en règle générale suis la première à aller sur la piste de danse, je suis souvent restée assise. Je n'avais plus même la force de me faire plaisir.

Je suis partie me remettre en train à Barcelone. Gaudi, Dalí, les Ramblas, la cuisine et le spectacle incessant des touristes de toutes origines, important en Catalogne, leurs mœurs particulières, me furent un divertissement bienvenu.

Avant que les grandes questions ne se reposent. « Qui es-tu ? Que veux-tu ? » me demandait ma Jackie imaginaire.

– Je suis la fille de Personne. Un grain de sable dans cette boule planétaire. Qui suis-je ? Cynthia Sardou. Tu le connais bien ce nom, c'était le tien, celui de ton mari, puis celui de ton fils, mon père, celui de ma sœur, celui de mes frères, et celui aussi d'un autre enfant qui va naître ou qui est déjà né, je ne sais pas, et que tu ne connaîtras pas… Mais un nom, c'est une coquille vide. Je ne domine rien, mon nom ne m'assure aucun avenir personnel. Sardou-la-Sardine ! Depuis mon plus jeune âge, ce nom a tout bloqué autour de moi, à l'école ou au sein de ma famille.

– Peut-être. Mais si tu n'es rien, qu'as-tu envie de devenir ? Un nom, tu as raison, ce n'est rien tant qu'on ne se le fait pas soi-même. Tu resteras fille de ton père et de ta mère, mais ta personnalité, elle, est à toi.

— Alors, que diable finissons-en avec Cynthia ! Mais comment veux-tu que je m'appelle ?

— Tu te rappelles, ce repas à Barcelone avec Eva et son ami Raul ? Il t'avait choisi un nouveau prénom, ce jour-là.

— C'est vrai ! Li Lou !... Ça ne sonne pas mal.

— N'est-ce pas ? Combien de gens utilisent des pseudonymes, et cela ne les empêche pas d'être l'enfant de leurs parents. Li Lou, c'est toi. Ce n'est pas le nom du sang, le nom de cette dynastie des Sardou, mais celui de ta personnalité propre, et c'est ça qui importe, c'est bien là l'essentiel.

Jackie marque une pause.

— Tu es unique, reprend-elle, comme chaque être qui a une authenticité particulière. Mon instinct ne m'a jamais trompée. Je n'ai jamais fait de différence entre aucun de mes petits-enfants, parce que je vous ai tous aimés de la même manière. Toi, tu étais cependant là, à chaque fois que j'ai eu besoin de toi – cette première fois où tu m'as ordonné d'aller à l'hôpital, où tu es restée toute la nuit la tête sur mon lit d'hospice... Tu as survécu à tant de choses, tu t'es battue parce que tu as cru à la vie, au plus profond de toi. Demain, si tu veux devenir quelqu'un d'autre, tu le peux.

De retour à Paris, je prends rendez-vous avec la direction des ressources humaines et demande à changer de poste. Je vais voir mon directeur de la rédaction, Bernard Zékri, qui comprend mon souhait et me propose même de revenir, au cas où le nouveau poste ne me conviendrait pas.

On m'offre de couvrir le festival du film français prévu à Cannes, sur le site Internet du groupe. J'accepte avec plaisir. Je rencontre mon prochain supérieur, nous avons le même âge. En voyant mon CV, il me dit que je suis surqualifiée pour ce poste. Voilà un type de refus que je n'aurais jamais imaginé. Il ne veut pas de moi, et moi, je veux simplement parler de cinéma.

Je commence pourtant à écrire trois, quatre articles par jour, des portraits de réalisateurs, de George Lucas à Pedro Almodovar, ou d'acteurs, comme Antonio Banderas, je propose des sujets « tendances », je choisis des photos très glamour pour attirer l'œil de l'internaute – mais mes articles sont, paraît-il, très mal écrits – je suis nulle en définitive. Le courant passe mal avec cet homme qui n'est accessible – voire charmant – que quand ça lui chante. Probablement a-t-il besoin de sa dose de came dans le nez pour cela.

Ça ne va pas ! « Tes propos ne sont pas assez racoleurs », dit-il.

C'est à ce moment-là qu'a commencé à faire surface, dans ma tête, la tentation de partir à l'étranger.

Je vais rendre visite à Anne, ma marraine, qui est à la campagne avec son mari Michou. J'admire cette femme bien plus que ma mère. Elle assume son quotidien avec beaucoup de professionnalisme, de délicatesse, et m'a donné tout l'amour que je n'ai pas

reçu à la maison. Une femme tenace, froide d'apparence sous sa chevelure blonde au carré – la froideur
et la coupe calculées pour dissimuler ses émotions.
Nous étions deux complices, deux pipelettes aussi, et
nos notes de téléphone ahurissantes témoignaient de
notre affection mutuelle. Je pouvais m'oublier de
temps à autre auprès d'elle.

Michel Olivier, son mari, surnommé Michou, pourtant malade, me préparait toujours des plats très équi-
librés dans ces périodes de panne sèche où je ne tenais
plus debout. Cette année-là, il respirait mal, il devait
faire une cure dans le courant de l'été. Anne me proposa de rester dans la maison de campagne durant la
cure. J'acceptai avec joie.

Le journal de 20 heures évoque les déboires de
mon big boss Jean-Marie Messier, parle d'un troisième plan social qui se profile dans l'entreprise où je
travaille, pour finir sur cette campagne présidentielle
dont le verdict est proche. Je commence à réfléchir
sur la création d'une entreprise à mon compte. Le
problème est que je suis truffée de dettes, qui remon-
tent parfois à plusieurs années, notamment depuis ma
période de chômage.

Il me reste à prendre quelques jours de congés
payés obligatoires. J'en profite pour me rendre en
Californie, où je tente de rencontrer des professionnels et de créer un avenir personnel dans la durée sur
des bases solides et personnelles. J'aime cet endroit.
Je m'y sens bien. Je revois par ailleurs cette artiste
peintre que j'avais déjà rencontrée, elle m'emmène

dans le désert, où elle tourne un documentaire pour une exposition de peinture à New York et à Los Angeles. Le but est de raconter une histoire, et d'alimenter une exposition en images.

Journée complète de tournage dans la Vallée de la Mort. Installée sur le toit de son véhicule, je contemple ces monts emboîtés, ces dunes de sable d'origine éolienne – un paysage vraiment désertique. Cette terre stérile est pourtant très diverse, ainsi dans la zone appelée la Palette du Peintre, qui combine des couleurs chatoyantes, du vert au pourpre. Au sommet d'une colline, un nuage à contre-soleil a la forme d'un visage. Je reste figée derrière le viseur de ma caméra, le nuage progresse et devient en moins d'une minute « l'œil vital » qui réveille cette vallée soi-disant trépassée. Cette image extrême change tout le sens et la fin de ce documentaire.

Et puis en passant devant un kiosque, sur Sunset Boulevard, je lis avec effroi la première page du *Los Angeles Times* : le premier tour de la présidentielle bouleverse la France et le monde. Photo en couverture d'un Jean-Marie Le Pen grimaçant et heureux, photo aussi d'un militant socialiste désemparé. En deuxième accroche du *L. A. Times*, le licenciement forcé de l'un de mes patrons, Pierre Lescure. Je me dis que je serai de retour à Paris pour voter au deuxième tour. Ouf !

Retour dans l'Hexagone. Dans la petite salle de montage, j'examine les rushes de mon reportage au Nevada.

Et cet œil de nuages est un signe – mais de quoi ? m'occuper de moi, m'amuser ?

« Amuse-toi, me souffle Jackie. On meurt bien assez tôt. »

Juillet 2002. Les Parisiens sont tous en vacances, sauf un copain que j'appelle Watson, et qui me rend la pareille, ce qui donne à nos échanges un petit tour surréaliste. Il est de taille moyenne, à la corpulence fine et élancée. Il a une allure de jeune premier intello, avec ses lunettes sur le bout du nez. Il a toujours le mot juste pour accueillir les autres, les femmes surtout. Son sourire et sa façon d'être restent uniques.

Notre complicité fait que je le considère comme un petit frère. Son accent délicieusement toulousain charme les filles. Et voici que je croise à la terrasse d'un café cet ami de longue date, journaliste et présentateur, voisin de quartier.

– Mais c'est le Watson de mon cœur ! s'exclame-t-il. Comment ça va ?

– Ça va bien, je suis en congé pour un petit moment. Et toi ?

– Oh, je sens que tu as des choses à me raconter… Ça fait tellement longtemps. Tu restes avec moi ? Histoire de refaire le monde !

Et nous déballons notre vie – ses histoires de cœur, ses sujets pour la rentrée, ses anecdotes farfelues, un festival de musique qu'il a monté pratiquement tout seul, sa rencontre insolite avec des musiciens canadiens. On rit sans complexe avec du vin sur la table. J'évoque enfin ma situation actuelle, j'évoque ce changement de nom décidé à Barcelone, et cette envie terrible de partir à l'étranger qui m'habite.

– Alors, ce sera Li Lou, maintenant c'est ça ? J'adore, parce que tu as un de ces grains de folie ! C'est incroyable, il n'y a que toi pour faire ça ! Et les amours, comment vont les amours ?

– Heu... Actuellement, cela ne servirait pas à grand-chose, vu mes projets.

Sur ce, il se retourne, aperçoit un couple qui se levait, et me les présente. Le garçon me regarde avec attention. Quelques banalités, et ils s'en vont.

– En tout cas, dit Watson, je connais mon Nicolas, et tu lui as tapé dans l'œil. Je peux t'assurer que tu lui plais beaucoup.

Impossible de savoir s'il plaisante ou non.

– Ah bon ?

– Je sais qu'il voyage pas mal pour son travail, et d'ailleurs je viens d'avoir une idée. Dans deux semaines, c'est mon anniversaire, tu viendras j'espère. Et qui sait, Nicolas sera peut-être disponible !

En arrivant à cette soirée, deux semaines plus tard, il me saute au cou.

– Hé, ma jolie, enfin te voilà. Mais tu arrives bien tard. Alors, ce soir, c'est toujours Li Lou ?

– Bon anniversaire, mon cher Watson. Plein de bonnes choses pour toi. Ce soir, n'y a-t-il pas une jeune fille qui t'a déjà susurré des mots d'amour ?

– Non, pas pour moi, mais par contre, j'ai une surprise pour toi. Regarde qui est là, tout seul au fond de la salle !

Je me retourne. « Oh ! J'avais totalement oublié ce Nicolas… »

— Tu sais qu'il m'a appelé, il m'a questionné sur toi. Il était persuadé qu'on était ensemble.

— Non, tu plaisantes ! Pourquoi ne m'as-tu rien dit ?

— Pour quoi faire, il est là ce soir… Bon, je te laisse, il faut que je m'occupe des autres invités, mais il va bien s'occuper de toi. Fais quand même attention, c'est un séducteur.

Nicolas se lève immédiatement après avec un grand sourire. Je ne m'étais pas rendu compte de sa grande taille. Les cheveux châtains, les yeux marron. Je n'avais pas remarqué non plus ce grain de beauté sur sa joue gauche. Charmant.

— Bonsoir, Li Lou. Une coupe de champagne ?

Et de m'avouer, en revenant avec une coupe, qu'il m'attendait depuis plus de trois heures en rongeant son frein. Hum ! Trois heures à attendre, dès le premier rendez-vous – et ce n'était pas même un rendez-vous ! Pas mal…

Visiblement pas idiot, mais attention, grand charmeur, et galant. Bon, ce qu'on va faire, on ne va pas prendre tous ses dires au sérieux, on va juste s'adapter à la situation.

Et pour me draguer, il m'a draguée ! Un verre en a entraîné un autre, les propos sont devenus confus. Vers 3 heures du matin, je tombais de sommeil, il s'est proposé pour me raccompagner.

Nous nous quittâmes par un baiser sur la main. Charmant, décidément…

En rentrant, je me sentais bien. J'ai regardé autour de moi dans la pièce.

– Tu le savais, Mamie ? Tu le savais !

– L'amour vient toujours quand on l'attend pas et ta situation personnelle le prouve entièrement. Il n'y a pas de moment pour aimer ni pour être aimé.

Quelques jours plus tard, j'apprends avec tristesse la disparition de l'un de mes maîtres, Eddy Marouani, le Pêcheur d'étoiles. Il nous parlait de Marlène Dietrich, de Piaf… D'autres artistes sont passés entre ses mains, Jacques Brel, Serge Lama, Line Renaud, Michel Sardou, Maxime Le Forestier… Je me souviens de ses propos devant la dernière génération d'artistes : « Au secours ! La chanson française est peut-être en danger. On ne gavotte plus, on ne zigouillette plus. Plus de rigodons, on ne branle plus… » Ce vieil homme m'accueillait à chaque visite, en me faisant un bisou avec son doigt sur le bout de mon nez, et avec sourire juvénile : « Où était donc passée notre future miss PDG de chaîne ? » Ça me faisait rire – ainsi que tout le reste de l'équipe.

Le jour des obsèques, je tombe sur un poème qu'il m'avait adressé dans ce fameux livre *Le Pêcheur d'étoiles*. Il l'avait collé à la dernière page :

« Quarante ans après, le petit garçon retourne sur sa jetée. Sa poitrine se gonfle jusqu'à l'horizon. Il jette au plus loin sa ligne vers la grande loterie du pêcheur. Du haut du ciel toujours bleu, son grand-père et son père, amusés, le guident dans sa quête de la daurade royale qui se fait attendre, comme une fiancée. Il est bredouille, il est riche, car le soleil le couronne, et il devient le roi des lieux. »

Suivait sa signature, accompagnée de ce dernier mot : « Travaille pour ta réputation pendant un an, elle travaillera pour toi le restant de tes jours. »

Les jours suivants, Nicolas me rappelle régulièrement. Une réelle complicité était en train de s'installer.

Il poursuit ses reportages d'été et m'en relate les derniers rebondissements.

Je me sens bien. J'ai envie d'aimer, et envie d'être aimée à nouveau. Je sais que je vais vivre quelque chose de singulier dans cette histoire, parce que je le veux sincèrement.

Je passe mes matinées à écrire, à déchiffrer l'actualité encore et toujours. L'après-midi, j'arrose le jardin, je dorlote les chiens et prépare mon week-end en amoureux.

Dîner aux chandelles, l'occasion enfin d'ouvrir ma bouteille de champagne, sans oublier le dernier détail de la fraise…

Des petits déjeuners au goût d'été. Des déjeuners dans le jardin, sur une pelouse bien tondue. Je rejoins Nicolas à la sortie de l'autoroute. Nos baisers sont tendres et nous sommes ensemble. Nous rions, je ris, je pleure de joie et mon maquillage léger ne coule pas. Nous sommes seuls, nous sommes bien. Je ne réfléchis pas et ne pense à rien. Il pleut à présent à torrent, Nicolas me poursuit dans le jardin, je fonce derrière un arbre en fleur, tourne autour et me réfugie derrière son tronc. La pluie est forte, de plus en plus forte. Il finit par me rattraper, nous sommes tous les deux mouillés jusqu'aux os et nous faisons l'amour sous cette averse. Je suis bien et heureuse.

Il repart à Paris. Nous nous voyons plusieurs fois par semaine. Mais voici qu'il m'annonce qu'il doit se rendre en Nouvelle-Calédonie pour au moins six mois, au début du mois de septembre. Bien que je lui aie dit que je voulais partir aussi, le quitter si vite me rend de nouveau triste. Est-ce le syndrome de l'amour qui me prend au cœur. N'ai-je donc pas le droit d'être heureuse à mon tour ? Cette relation me donne presque envie de rester un peu plus longtemps dans la capitale. Cette histoire me redonne goût à l'amour, le vrai. Alors, accepter qu'il s'en aille…

Je n'ai plus goût à grand-chose, si ce n'est évoquer le sujet avec Anne au téléphone tous les jours. Je n'ai le cœur à rien. Je me mets à pleurer comme une petite fille.

Aucune prise sur les événements. Tout ce que j'ai à faire est de me reposer. Je ne sais pas exactement ce que ce mot signifie, alors, je dors. Je dors douze heures par jour, j'achète des fleurs, la presse, je mange des produits frais du village et grignote en rentrant le quignon d'une baguette qui sort du four. J'effectue d'autres « Déjeuners sur l'herbe », toute seule, écris quelques mots, juste pour me faire du bien. Mes mains travaillent l'argile, j'y passe mes nerfs, ma tristesse, mes joies, mes peurs, mes haines, mes hontes, mes manques –, avant d'apercevoir au bout de cinq heures, une sculpture à deux visages. Celui qui rit et celui qui vient d'ailleurs.

Devant un feu de cheminée, je regarde des vieux films, de plus récents, je fais de multiples arrêts sur image, je me rediffuse la même scène des dizaines de fois – et je dors. Nicolas hante mon sommeil, et je tente de me consoler avec Paul Auster.

La rentrée approche, Anne et Michou reviennent de cure, et je rentre à Paris, où Nicolas et moi nous voyons pour la dernière fois. Je dois être forte – et puis non ! J'en ai assez d'être forte, je me fiche d'être forte ou non, maintenant. Comme je me fiche de tout. De ce qui se passe, de ce que je dois faire, de savoir qui je suis. De faire ce que les autres veulent que je fasse. Je ne sais même plus si je veux être heureuse, si je veux être malheureuse, il n'y a que le néant partout. Au moins, je sais ce que l'amour veut dire, c'est déjà une chose, mais pour le reste…

Le téléphone sonne.

– Décroche ton téléphone, me souffle Jackie.
– Si c'est encore Nicolas, je n'ai plus le courage de lui refaire mes adieux.
– Décroche, te dis-je !
– Allô ?
– Cynthia ?
– Oui ? Qui est à l'appareil ?
– C'est le directeur des ressources humaines !

– Oui ?

– Il faut impérativement que vous veniez cet après-midi au siège !

– Pourquoi ?

– On a un poste à vous proposer aux États-Unis.

– Si c'est une plaisanterie, elle est vraiment de mauvais goût !

– Non, non ! Il y a vraiment un poste à pourvoir à Los Angeles ! La personne qui travaille sur place est à Paris aujourd'hui, et si vous ne venez pas maintenant, il sera trop tard demain. Dans combien de temps pouvez-vous venir ?

– Disons… une heure et demie !

– C'est d'accord, on vous attend.

Oh ! Le miracle ! Je vais enfin pouvoir partir plus vite que prévu, mais j'ai vraiment encore du mal à y croire. Un poste en production, sur un événement cinématographique, la cérémonie des Oscars. Ce départ occupe toutes mes pensées – même si je pense encore à Nicolas. Tout se chamboule autour de moi. Mes papiers de nouvelle expatriée, mon déménagement, mes affaires, les devis, les au revoir avec les amis, l'équipe de rédaction, etc.

« Maintenant que ton départ est imminent, me souffle ma grand-mère adorée, tu dois accomplir une dernière chose ! Tu le sais !

« Ça fait partie de l'histoire. Tu aimes tes parents. N'oublie jamais que dans la haine, il y a toujours de l'amour. Quand tu auras pardonné, tu pourras ensuite partir.

« Appelle ta mère, dis-lui que tu veux la voir, et passe une soirée au théâtre. Aujourd'hui, tu as une excellente raison ! Ce départ risque même d'en étonner plus d'un. Ton père le premier ! Il ne dira pas grand-chose, mais il sera content. »

De toute façon, il ne dit jamais rien, ou presque et quand il me parle, c'est pour gueuler.

Je suis allée au théâtre avec une amie de longue date, Céline. Anne-Marie Périer nous attendait à l'entrée.

Le bar était bondé. Des têtes connues, d'autres pas. Le chauffeur de l'artiste traîne dans les parages.

— Alors, lance-t-il, on est venu voir son père et son frère jouer au théâtre ?

– Non, non, je suis venue faire un tennis, t'es pas au courant ?

Je longe les couloirs du théâtre. Je passe derrière le décor, un peu comme Alice passe derrière le miroir. Et j'arrive dans la loge.

Mon paternel se trouve justement en face de son miroir. Il se lève tout de suite en nous voyant. Il n'a pas changé plus que ça. Il n'a pas l'air fatigué, mais angoissé. Comme d'habitude. Il fait la gueule. Comme d'habitude. Une cigarette à la main. Comme d'habitude. Il s'approche de moi, comme si tout était normal. Un baiser sur le coin des lèvres.

– Salut ! Ça va ?

– Ça va pas mal ! Je te présente Céline. Tu as quelque chose à boire ?

– Heu... Du soda, de l'eau, du whisky et du vin.

Je me tourne vers mon invitée :
– Qu'est-ce qui te ferait plaisir ? Du vin ou du soda ?
– Du vin, répond Céline, qui ne se démonte pas.
Il a une bouteille ouverte, m'offre de la goûter. Une abominable piquette. Je le lui dis sans ambages.
– Je vais en ouvrir une autre, dit-il.
Je regarde mon père ouvrir cette bouteille, en silence. Ses mains, son profil, son attitude, ses yeux, ses cheveux presque blancs. Il a une grande difficulté à déboucher cette fiole. Je lui propose mon aide, qu'il refuse – comme d'habitude. Je suis très contente d'être là, de le voir. Toutes mes peurs ont disparu. Il n'y a plus de challenge, plus personne n'a à prouver quoi que ce soit à qui que ce soit. Aucune tension. Aucune bataille. Je ne cherche plus ce que je veux savoir de lui, à décoder ses regards, ses paroles, sa haine, au premier, au deuxième et au troisième degrés.
Une fois notre verre de vin servi, il se rassoit devant son miroir. Il se rase en même temps. Et il me parle d'un héritage. J'attends qu'il termine et demande à Céline et Anne-Marie de bien vouloir sortir.
Lui et moi, entre quatre yeux.
Cette façon qu'il a de se déplacer, de me regarder à travers ce miroir, de me parler à travers lui… Il est au théâtre, il fait du théâtre. Le miroir et ses reflets. L'artiste et ses éclats, la honte, la douleur, la peur, le cœur, les parfums de la dernière cigarette et de l'ultime minute de concentration avant d'affronter sa psyché en public.
– Alors comme ça, tu pars en Amérique ?

J'opine en le regardant bien en face, ce qu'il ne fait pas. Je le laisse parler devant son miroir.

– Je suis content pour toi, très content. (Il se retourne enfin.) Si tu veux, je connais du monde là-bas, notamment quelqu'un qui connaissait très bien ta grand-mère… Puis il me décoche à ce moment-là un léger sourire, je le lui renvoie en écho.

Entre-temps, il me reparle d'une part qu'il pourrait prendre dans une maison d'édition. Des promesses d'actionnaire, une carotte, ces mêmes propos que l'on m'avait tenus trop souvent – *words, words, words !*

– Tu sais, dis-je soudain, il y a un moment où les choses changent, dans une vie. Rien n'est plus comme avant, et tu le sais. Pour être franche avec toi, ce soir, je n'attends plus rien de toi, comme je ne m'accroche pas non plus à ton héritage.

– Mais tout ça, lance-t-il d'un ton soudain rageur, c'est pour vous que je l'ai fait !

La belle excuse !

– Non, tu l'as fait avant tout pour toi. Moi, la seule et unique chose à laquelle je me suis accrochée, c'est la vie.

– Moi aussi, j'ai eu des combats, dit-il d'un ton furieux, tout en prenant la pose noble de l'homme blessé. Et moi aussi je sais ce que c'est qu'un procès… comme d'être aux prud'hommes avec une maison de disques…

Que dire après une telle réflexion ? Quel rapport entre une cour d'assises et une dispute d'épiciers liée à une mauvaise gestion de contrats ? Cette phrase, prononcée telle quelle, m'a définitivement décidée à partir. Je ne peux pas le changer. Je ne peux rien pour lui, rien dire, ni faire les choses à sa place. Je n'attends plus de réponse.

J'ai vu. J'ai su. J'ai appris. Et pour rien au monde, je ne voudrais d'un partenaire comme lui, ou proche de lui, comme une jeune écervelée qui souhaiterait que son mec ressemble à son héros – à son père. Je ne vois alors plus l'artiste, ce soir, je ne vois que mon père. Un héros que je n'admire plus autant que dans mes rêves de petite fille.

Je me dis juste que cet homme ne s'aime peut-être pas. Se déteste-t-il donc à ce point ? Son histoire d'amour, sa maladie d'amour à lui, c'est ce public, qui le chérit depuis plus de trente-cinq ans, et jusqu'à la fin de ses jours – et tant mieux…

Moi, je n'ai rien perdu finalement. Je n'ai rien eu, et le peu que j'avais, on me l'a volé.

Que faire ? Me lever, et l'embrasser une dernière fois, en me disant qu'en dépit de tout, malgré ses colères, qui furent les miennes, malgré sa haine, qui fut la mienne, malgré sa douleur, qui est la mienne, je l'aime.

Mon père baisse pour la première fois son regard, et le ton de sa voix : « Je serai en pensées avec toi. » Je ne réplique rien à ces paroles incolores, qui n'expriment pas grand-chose d'autre que l'arrogance et le mépris.

Je repars les mains vides, mais le cœur garni d'amour, avant de serrer dans mes bras l'un de mes frères dans une autre loge, et d'assister au dernier tour de scène. C'est l'histoire d'un homme qui lors d'une nuit d'insomnie se réveille en présence de sa conscience, qui n'est autre qu'une femme. Un homme qui revit tour à tour son passé, qui est amoureux de sa fille. Une jeune fille qui s'en va. L'homme en question jette en définitive les cartes de sa conscience, sans l'appliquer dans sa vie.

Je suis dans la salle et je suis « public », ce dernier soir où j'ai décidé d'applaudir l'artiste. Toutes les soirées de gala d'autrefois n'avaient pour objectif que de préserver le lien familial, devant une assemblée de journalistes. Mais notre famille, c'étaient drames et fausses réconciliations. Il n'y avait pratiquement pas de moments heureux véritables. Je me remémorais les soirs de Noël, petite fille, ou d'anniversaire, où j'attendais, j'attendais…

J'étais aussi l'une de ses complices, les soirs de coup de fil à 3 heures du matin, les avant, les après-premières, les tournées. Et je devais quand même me soumettre, ou crier aussi fort que lui, afin de préserver un lien. Il fallait implorer dans le silence, ou vivre des drames, pour pouvoir exister à travers lui – toujours, dans ce cœur rompu.

Un voisin se retourne, me regarde obstinément et demande en chuchotant à sa voisine pourquoi je ne sanglote pas ou ne ris pas en même temps que les autres. Moi seule peux comprendre ce décalage. Difficile de ne pas succomber en voyant cette jeune fille, sur la scène, là-bas, jouer quelques-unes des répliques de ma vie.

Je décide d'appeler ma mère. Pour lui annoncer que je pars pour une autre aventure avec le cinéma américain.

Sa voix au téléphone est toujours aussi jeune. J'ai toujours l'impression de parler à une jeune fille.

Elle me propose de venir me voir à Paris avant mon départ.

Nous évoquons l'une et l'autre nos vies, nos expériences. Elle me reparle de son second mariage, m'avoue qu'elle a eu tort de se remarier avec cet homme. Elle évoque aussi cette secte dont elle a fait partie. Et sa nouvelle vie d'aujourd'hui. À cinquante-huit ans, elle a réalisé l'un de ses rêves, celui de revenir à son premier métier en donnant des cours de danse et de gymnastique à des enfants et à des adolescents. Elle a passé des diplômes pour pouvoir enseigner. C'est étonnant, et j'en suis assez fière.

Elle m'a rappelée, je prenais un café au bar du coin. « Allô, c'est maman, je suis devant chez toi… » « J'arrive ! »

Je me dis que si je ressens des doutes, elle doit forcément avoir les mêmes. En remontant la rue, je la vois au loin, je la devine dans ma myopie. Elle est toujours jolie. Blonde, les cheveux plus courts, les yeux toujours aussi bleus. Ses rides lui vont bien. Elle s'est affinée dans sa nouvelle vie de professeur de danse.

Elle a pour moi un regard maternel. Peut-être tente-t-elle de rattraper le temps perdu ? Peut-être courait-elle après mon enfance, cette enfance volée, cette enfant que je n'étais plus, depuis longtemps. Les cours de danse que je m'interdisais d'apprécier sur le moment. Un cadeau d'anniversaire que je n'ai jamais accepté. Sa passivité, face aux traitements que je subissais… Une passivité qui venait peut-être des coups qu'elle avait reçus à son premier mariage, d'un homme qu'elle avait aimé et qu'elle avait quitté pour éviter le coup de trop… Était-ce une raison pour agir ainsi ? Les seules virées que je pouvais apprécier à l'époque, étaient les soirées en boîte de nuit avec Hervé, mon meilleur ami d'alors, dans des banquets en compagnie d'un professeur rieur, d'une foule de clients attablés, qui se soucient peu de savoir qui les sert. Avec Eva, mon amie de toujours. Chez les autres. Chez les copains. Chez n'importe qui, mais pas chez moi. À l'étranger. Loin d'une maison qui se prétendait familiale.

Nous nous regardons l'une l'autre, les larmes aux yeux. Que dire ! Après ces silences, ces cassures du temps… Nous nous aimons, je suis en train de le vivre.

Toutefois, au début de l'année 2004, elle m'a écrit. Et c'était à la fois comme si tout le passé remontait à la surface, et comme si, en même temps, il s'estompait dans sa totalité.

*Ma petite Cynthia,*

*Je pense très souvent à toi et à ce que tu as vécu dans ton enfance et ton adolescence. Tout ce qui s'est passé entre mon ex-mari et toi et que je n'ai pas vu. J'y pense car cela revient dans ce que tu me dis quand je te téléphone. Et même si moi, j'ai tiré un trait sur cette période douloureuse de ma vie, je pense que pour toi le chapitre n'est pas encore clos. Il reste beaucoup de non-dit entre toi et moi, et je voudrais y revenir si tu le permets. Je ne sais pas exactement ce que mon ex-mari t'a fait subir, mais j'ai conscience que cela pèse très lourd sur ton cœur. Peut-être qu'un jour tu voudras bien m'en parler. Sache que je regrette profondément de ne pas avoir vu tout ce qui se passait et que je t'en demande pardon, même quand il a été violent devant moi parce que tu avais falsifié tes notes, je ne comprenais pas que tu avais peur, j'étais moi-même en colère de voir que tu étais capable de mentir pour de mauvaises notes, et je n'ai pas su arrêter son geste.*

*Je t'en demande pardon. Je sais que tu m'en veux parce que j'ai cédé de l'argent et des objets pour le divorce, mais moi j'étais prise dans une situation dont il fallait que je sorte rapidement, car elle était impossible à tenir longtemps.*

*J'ai négocié au plus près afin d'y laisser le moins de plumes possible, mais tout a un prix et c'était le prix de mon aveuglement pendant toutes ces années. Je te demande pardon pour tout cela. Tu n'es pas obligée de répondre à cette lettre, je voulais simplement dire les choses comme je les sens. Tu es ma fille et je t'aime, même si à ta naissance, qui était désirée, ma vie aurait été tout autre si tu avais été un garçon, mais je ne regrette rien. Ma vie est comme ça, moi je l'ai vécue avec mes points forts et mes points faibles et je n'en ai pas honte. Je serai toujours là pour toi si tu le souhaites, tu es partie très loin, mais la distance est peu de chose quand je pense à toi, et j'ai seulement besoin de savoir que tu vas le mieux possible.*

*Je t'embrasse avec tendresse et je t'aime.*

*Maman*

Les derniers au revoir seront pour mes anciens collègues. Je n'étais pas indispensable, et quelqu'un d'autre m'a déjà remplacée. En les revoyant, je les remerciai en silence de toutes les images d'actualité que j'avais traitées avec eux, de leur soutien, de tout ce qu'ils m'ont appris, tous les instants de stress, de speed, de rire, de désespoir, de peur, d'essoufflement. Un assassinat en Corse à la sortie d'un mariage. Un mafieux abattu dans une rue de Paris en plein après-midi. Une petite Chinoise de deux ans, déjà condamnée à mort par le virus du sida, parce que ses parents avaient vendu leur sang pour survivre.

Le sida – et moi qui ne l'avais pas attrapé.

D'anciens proconsuls qui s'en sortent bien, malgré leurs nombreux délits.

Des campagnes électorales municipales, des présidentielles internationales. Des violeurs et des assassins qui jurent tous les jours qu'ils ne sont pas coupables, et de nombreuses victimes qui restent, elles, dans le gouffre. Des enfants qui disparaissent. Une vache folle si appréciée des convives, et qui les tue en pleine digestion. Des incendies qui détruisent les forêts, des inondations qui ravagent les villes. Un super-tanker qui répand cent mille tonnes de fioul lourd sur les mers, les plages et la peau des volontaires qui s'essoufflent à pêcher ces plaques noires empoisonnées. Se rendre à la plage en plein cœur de Paris et se croire au bout du monde, avec pour accessoires lunettes de soleil, maillot de bains, et paréo, ou se faire passer pour Jackie Kennedy.

Tous ces instants volés sont enregistrés dans nos mémoires. Dans une boîte, quelque part, dans les archives…

Au moment où je pars pour l'Amérique, un dernier plan social frappe au sein de la chaîne française, et les bureaux de Los Angeles sont sur le point de fermer. J'ai la possibilité de garder mon travail et de réintégrer à Paris la chaîne d'information… Je ne sais pas, je ne sais plus.

– As-tu envie d'être heureuse ? murmure Jackie à mon oreille. As-tu envie de vivre le bonheur dans sa totalité, ou de revivre dans le mensonge, dans la tricherie ?

– Non, bien sûr…

– Alors, ne te retourne plus. Il est temps à présent pour toi de ne penser qu'à ton bonheur et de le construire. Tu sais, ce bonheur qui fait peur à tout le monde, qui vous dépasse tous… Qui t'épanouira et te donnera entière satisfaction. Es-tu cette fois décidée à fonder ce que tu as résolu de créer, à appliquer les idées que toi seule tu t'es imposées, de rire comme tu as toujours voulu le faire, de pleurer d'émotion à n'importe quel moment. De vivre dans ta vérité, dans la clarté de l'eau. Cet enfant d'eau, cet enfant de la transparence, celui qui a gardé ses silences, ses souffrances, cet enfant qui a assumé sans limites, comme beaucoup l'ont fait et pourraient le faire... Tout ça est à toi, et c'est réel.

Un temps. Un court silence.

– Maintenant, reprend-elle, je vais m'en aller dans d'autres lieux, comme toi !

– Tu me laisses à présent ? Mais...

– Oui, tu te souviens, je ne suis jamais vraiment partie. Il y a un futur dans vos vies et dans vos cœurs. S'il y a de l'amour en toi, le futur t'appartient.

Je n'entends plus la voix imaginaire de ma petite Féfée de Broadway. Mais nous nous la rappelons tous – la petite grosse à la coiffe rousse, avec sa gouaille, la Betty Boop aux lèvres rose fuchsia, la plus belle et la plus juste. Et je la garde en moi. L'héritage qu'elle m'a légué reste obstinément celui de sa force, de sa lucidité, de son amour – et de sa générosité exceptionnelle. Un patrimoine inestimable. Mon vrai héritage.

Cette étoile n'était jamais vraiment partie en définitive.

– Personne n'a pris le soin d'inscrire le nom de « Jackie Rollin-Sardou » sur la pierre tombale du monument où elle réside, auprès de son mari « Fernand Sardou ».

Ce nom, c'est moi qui le ferai graver. En feuilles d'or. Pour elle, pour moi, pour son public. Pour tout le monde.

L'Amérique, qui m'a offert cette prise de conscience en temps de guerre, me rappelle qu'il est possible d'accomplir son rêve. Ce peuple qui m'a accueilli comme une petite fille de toujours, bien plus que ne l'ont fait certains de mon entourage. Tout le monde, là-bas, m'appelle « Li Lou » aujourd'hui. Cette foule qui souffre autant que moi, sinon plus, me parle de croyance…

Pour finir, je ne parlerai plus de violence, mais de solidarité. En effet, les déchaînements de bestialité, cela n'arrive pas qu'aux femmes. Des enfants, des femmes et des hommes endurent chaque jour des horreurs – physiques ou psychologiques, c'est la même chose, la même démence.

Les trois criminels évoqués dans ce témoignage purgent leur peine de prison, et ma mémoire me jouera des tours dès l'instant où leur pénitence sera achevée. Les périodes de Noël qui furent, pour l'enfant que j'étais, angoissantes, plus encore et autant que le joyeux Noël de la nuit de ce drame. Je ne peux rien effacer, ni cette trace indélébile, ni le passé.

Ces trois hommes-là vivent dans leur propre huis clos. Ils ressortiront un jour, c'est inévitable. Le but de cette incarcération est d'éviter la récidive. Purger quinze ans pour de tels faits est certainement une épreuve, et je ne vais pas compatir. Ces hommes devront toutefois se réinsérer dans la vie sociale, et parce qu'ils seront obligés de le faire pour survivre et s'adapter au système.

J'ajoute haut et fort que le crime n'a pas de visage. C'est un crime avant tout, qui arrive n'importe où, n'importe quand, dans n'importe quel contexte. Il n'arrive pas uniquement dans les cités, comme vous pouvez le constater.

Fille ratée de la bourgeoisie ? J'en suis certainement une, d'autres peuvent de nouveau vivre la même chose, dans l'une de ces prisons faussement dorées.

Reste-t-il une morale quelque part ? Certains ont toujours du mépris dans le regard, dans leur mentalité, dans leurs comportements. Ça existe toujours, comme la bonté – si on le veut.

Des drames, il y en a trop, tous les jours, et mes souffrances ne sont que l'histoire de toutes les humiliations. J'ai su que je pouvais écrire ma propre destinée en menant l'enquête sur ma propre existence, afin d'y découvrir la vérité.

Mon choix, c'est l'espoir de la vie. L'espoir de l'avenir. La liberté. L'amour. La santé – et mon rêve.

Et si rien ne dure vraiment, rien non plus n'est impossible, dans le cours d'une existence. Et c'est cela l'ultime message de l'histoire de cette enfant d'eau, l'enfant que je suis…

*Li Lou, Paris-Los Angeles, août-octobre 2004.*

Merci à...

Eva Rodriguez, Gloria, Anne Cappa, Michou,
Norbert Aleman, Sylvie, Christian et Ingrid,
Marcel, Régine, Jean-Hugues, Raùl.

*

Frédéric Delarue, Mitch Olivier, Jo Ann Pickens, Renaud
Bidjeck, Al Secunda, Thierry Brame, Peter Glassner,
Rick Baloyra, Layne Joy-Hermann, Carolyne Bouey,
Anaïs Kavianpour, David Menin et Philippe.

*

Stéphanie Magri, Céline, Élise et Charles, Hubert
et Véronique Grandjean, Janie Ricouard, Nathalie Gendre,
Richard Clees, Céline Matta, Nini, Marie-France Didier,

de votre amour et de votre amitié.

Merci à...

Dr Gérard Lopez, Dr Lucile Ragu, Dr Guillaume Krieff,

*Appelez-moi Li Lou*

Olivier Kristen, Me Philippe Lemaire, Me Thomas
Lemaire, Me Marie Babelaere-Pettré,
la police judiciaire.

de toute votre aide.

\*

Et merci à…

Christian Dutoit,

\*

Noël Couëdel, Jacques Jublin,
François Cornet, Daniel Estève, Danièle Palau, Geneviève
de Montgolfier, Georges Vincend et, Nicolas Rossignol,
Serge Rombi, Valérie Perez et Frédéric Godard,
Emma Papin.

\*

Bernard Zékri,

\*

Michel Dumoret, Jacques Imbert, Jean-Michel Fauveau,
Alain Contrepas, Catherine Pelard, Luc Germain et
Dominique Peyrat.

Merci à toute l'équipe et longue vie à la rédaction
de « I-Télé »…

Remerciement particulier à Jean-Paul Brighelli.

# Table

**Transcontinental**
IMPRESSION
IMPRIMERIE GAGNÉ

IMPRIMÉ AU CANADA